Presentado a

____

Por

____

Fecha

____

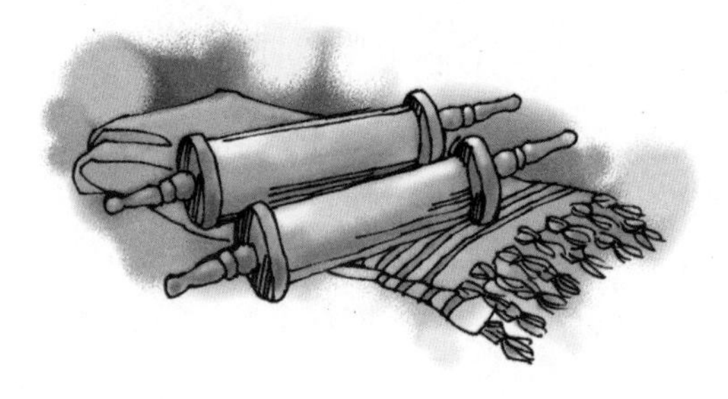

La BIBLIA de VALORES

Dottie y Josh McDowell

Ilustrado por Joe Boddy

LA BIBLIA DE VALORES

Publicado en español por
Editorial Patmos
Weston, FL EE.UU. 33331
www.editorialpatmos.com
Con permiso de Josh McDowell Ministry

Publicado originalmente en inglés
con el título *The Right Choices Bible* por
Tyndale House Publishers

Editado por Betty Free
Diseñado por Beth Sparkman
Traducido por Alicia Gambetta Gentile
Adaptación de diseño gráfico por Suzane Barboza

Resumen:
Más de sesenta historias del Antiguo y Nuevo Testamentos,
en las que el personaje principal tiene que tomar
una decisión importante.

ISBN 978-1-58802-627-9

Categoría: Historias Bíblicas, Niños

Printed in Brazil/Impreso en Brasil

Amorosamente dedicado
A todos nuestros futuros nietos
¡a quienes esperamos ansiosos de conocer!

Dottie y Josh McDowell

AGRADECIMIENTOS

. . . .

Nos gustaría agradecer a las siguientes personas por sus invalorables contribuciones a esta obra:

Cindy Pitts por identificar y hacer el primer borrador de muchas de las historias de la Biblia, que proveyeron la percepción de cómo se deben presentar esas historias.

Robin Currie por escribir las historias, por integrar el tema de Lo Que Está Bien y Lo Que Está Mal al tomar buenas decisiones, y por entrar en el mundo de un niño para escribir cada historia con una "energía de niño."

Betty Free de la Casa Publicadora Tyndale por su trabajo editorial más allá de su deber para ajustar, enfocar y sobretodo hacer cada historia y aplicación más efectiva.

Dave Bellis, nuestro socio por veinte años, por coordinar este proyecto y por mantener el contenido enfocado y el producto integrado dentro de la Campaña de Lo Que Está Bien y Lo Que Está Mal

Carla Whitacre Mayer y todos nuestros otros amigos en Tyndale House Publishers por su alto estándar de calidad y por su compromiso de ayudar a padres a alcanzar a sus hijos con el mensaje de la Palabra de Dios.

CONTENIDO

• • • • • • •

Historias y Decisiones

DECISIONES

. . . .

¿Qué debes comer? ¿Y qué ropa debes ponerte? ¿Cómo debes hablar o arreglar tu cabello?

Tienes que tomar decisiones todos los días acerca de muchas cosas que se presentan en tu camino.

¿Sí o no? ¿Y grande o pequeño? ¿Dar a otros o quedarte con todo?

¿Está bien o está mal? Necesitas respuestas todo el día.

Dios formó el mundo y te formó a ti. Él sabe lo que tú debes hacer.

La gente de los tiempos Bíblicos también tomaba decisiones.

Sus historias te pueden ayudar a saber qué hacer.

Algunos decidieron hacer lo malo. Otros, decidieron hacer lo bueno y agradaron a Dios.

Así que lee estas historias para encontrar tu camino

A través de las decisiones que tomarás mientras juegas y trabajas.

(Asegúrate de buscar los saltamontes también. En cada historia, uno de ellos ¡te estará mirando!)

El primer jardín

Génesis ***2:4-3:23; 5:4-5***

DECISIÓN: ¿Cumplieron Adán y Eva la regla que Dios dio de obedecerle? O ¿Desobedecen a la regla de Dios?

Dios creó un mundo maravilloso con montañas, árboles y calabazas ¡y hasta un hipopótamo! Dios también creó gente para disfrutar el mundo maravilloso y para cuidarlo.

La gente que Dios creó fueron Adán y Eva. A ellos les gustaba el mundo que Dios formó. Era un jardín lleno de cosas buenas como habichuelas, peras y uvas, todas listas para que ellos las comieran.

Pero lo que a ellos les gustaba más era vivir en el Jardín con Dios. Él amaba mucho a Adán y a Eva. De hecho, él los amaba tanto que quería ayudarlos a que le obedecieran. Así que les dijo acerca de todas las cosas maravillosas que ellos podían hacer. Y les advirtió acerca de lo único que nunca debían hacer. Dios les mostró el árbol en el centro del Jardín. Les dijo: "No coman de ese árbol. Si ustedes comen el fruto de ese árbol, morirán."

Dios quería que Adán y Eva le obedecieran. De esta manera él los hubiera mantenido siempre seguros. Ellos hubieran vivido en el Jardín para siempre.

Una serpiente vivía en el Jardín. Era la criatura más astuta de todas. No amaba a Dios ni el mundo que Dios creó ni la gente que había en él.

Un día la serpiente le habló a Eva. Le dijo: "¿Por qué no comes del fruto del árbol en el centro del Jardín?"

Eva respondió: "Dios nos dijo que no comiéramos de ese árbol o moriríamos."

La serpiente le dijo: "Si lo comes no morirás, sino que sabrás todas las cosas, así como Dios sabe todas las cosas."

Eva vio que el fruto se veía muy bien, y ella quería probarlo. Ahora Eva tenía que tomar una decisión importante. Ella podría hacerle caso a Dios y no comer del fruto. O podría desobedecer a Dios y comer del fruto.

Eva decidió tomar del fruto y comerlo. Le dio a Adán y él decidió comerlo también. Ellos no obedecieron a Dios.

Así que ellos tuvieron que salir del Jardín y trabajar duro. Nunca podrían regresar al Jardín otra vez.

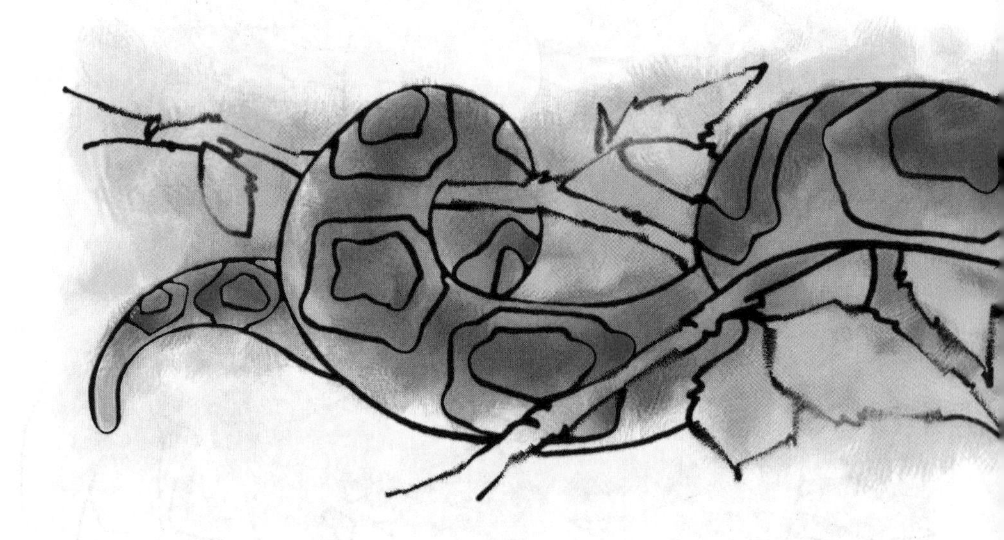

Después de un tiempo, Adán y Eva envejecieron. Muchos años después, murieron. Dios siempre amó a Adán y Eva. Pero él estaba muy triste. Dios estaba triste porque Adán y Eva tomaron la decisión equivocada y le desobedecieron.

Recordemos juntos

¿Quién era la criatura más astuta en el Jardín?
¿Cuál fue la única regla que Dios puso?
¿Adán y Eva tomaron una buena decisión o una mala decisión?
¿Qué cosa triste les sucedió a Adán y Eva?

Piensa en TUS decisiones

Nombra maneras de obedecer a Dios. (No Robar o Mentir; ser amable; cuidar el mundo de Dios; cumplir las reglas en mi casa.) ¿Qué reglas en tu casa ayudan a mantenerte seguro?

Actividad

Dibuja una cara triste y una cara feliz en dos círculos de papel. Pega un lápiz en la parte de atrás de uno de los círculos con cinta adhesiva, después pega el otro círculo también por la parte de atrás, espalda contra espalda, formando una paleta. Por un lado tendrás la cara feliz y por el otro la cara triste, sostenidos por el lápiz.

Cada noche, a la hora de acostarte, conversa sobre qué significa obedecer a Dios.
Nombra las veces en las que tú no obedeciste ese día y levanta la paleta con la cara triste. Después nombra las veces en que sí obedeciste, y muestra la paleta por el lado de la cara feliz.

Cuando decidimos obedecer,
Dios nos ayuda a estar ¡seguros y felices!

Oremos juntos

Querido Dios, gracias por ayudarnos a decidir obedecerte. Gracias por las buenas reglas que nos mantienen seguros. En el nombre de Jesús. Amén.

El zoológico flotante

Génesis ***6:9-9:17***

DECISIÓN: ¿Obedeció Noé a Dios y construyó un arca? O ¿Él actúa como la gente a su alrededor?

El mundo que Dios creó se estaba llenando de gente. La mayoría de ellos no eran buenos con los otros. Ellos no obedecían a Dios y eso hacía que Dios estuviera muy triste.

Pero había un hombre bueno llamado Noé. Él y su familia amaban a Dios y trataban de hacer lo que es bueno. Regaban su jardín y alimentaban a sus mascotas. Se amaban unos a otros y eran amables con todos. Dios estaba contento con Noé y su familia.

Un día, Dios le dijo a Noé que construyera un bote llamado un arca. Dios dijo que lo hiciera grande y fuerte, y que llenara todos los espacios entre las maderas para que flotara. Noé miró alrededor, él podía ver su casa, algunos árboles de aceitunas y un gran desierto. Pero Noé no vio nada de agua para hacer flotar un gran bote.

Dios le dijo a Noé que Él iba a enviar lluvia. Llovería, llovería y llovería. Pronto el mundo estaría cubierto con agua. Sólo Noé y su familia estarían secos y a salvo en el bote.

Noé estaba contento de que Dios quería cuidar a su familia, pero le pareció que un pequeño bote sería suficiente. Entonces, Dios le dijo a Noé que reuniera dos de cada clase de animal dentro del bote. Eso necesitaría un ¡gran, gran, gran bote por seguro!

Noé miró al cielo, pero no vio ninguna nube que trajera lluvia. La gente probablemente se reiría si él comenzaba a construir un bote.

Ahora, Noé tenía que tomar una decisión importante. Él podría decir: "Sí, construiré el bote. Lo haré aún si no hay agua ni lluvia a la vista." O él podría decir: "No, no construiré el bote. Así mis vecinos no se reirán de mi."

¿Qué hizo Noé? Consiguió un martillo y madera, y comenzó a construir el bote. Él lo construyó tan grande como Dios le dijo que lo hiciera. Y llenó los espacios entre las piezas de madera para que flotara. Después llevó dos animales de cada clase dentro del bote.

Habían jirafas altas y pequeños erizos. Habían monos graciosos y caballos rápidos. Finalmente vinieron las lentas tortugas. Noé y su familia entraron dentro del bote también. Dios cerró la puerta. Entonces Noé miró hacia arriba. Estaba comenzando a llover.

Llovió por cuarenta días y cuarenta noches. Toda la tierra estaba cubierta con agua así como Dios había dicho. Pero dentro del bote, toda la gente y todos los animales estaban seguros y secos.

Finalmente la lluvia se detuvo, y salió el sol. Después, la tierra se secó, era seguro para la gente y los animales salir del bote.

Noé le dio gracias a Dios por mantener a él y a su familia seguros. Dios puso un arcoíris en el cielo. Él prometió que nunca más cubriría la tierra con agua.

Dios siempre amó a Noé y estaba contento de que él había tomado una buena decisión.

Recordemos juntos

¿Por qué estaba Dios contento solamente con Noé y su familia?

¿Cuál fue la decisión de Noé? ¿Tomó Noé una buena decisión o una mala decisión?

¿Qué puso Dios en el cielo como promesa de que nunca más enviaría tanta agua?

Piensa en TUS decisiones

Dios te da una familia para mantenerte seguro y seco. ¿Qué te dicen ellos que te pongas cuando está lloviendo? Puede que tus amigos no tengan las mismas reglas que tu familia tiene para mantenerse seguros. ¿Obedecerás tus reglas de todas maneras?

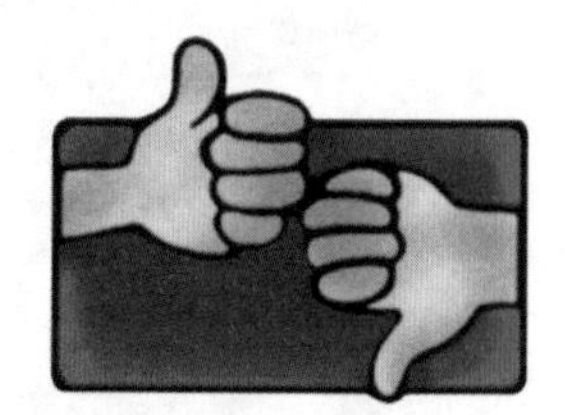

Actividad

Reúne todos tus animales de peluche y actúa como si tú fueras Noé. Tu cama puede ser el bote. Como Noé, ¿serás tú como la gente que no hace lo que agrada a Dios? O tú ¿Obedecerás a Dios?

Obedecer a Dios puede significar que nosotros no haremos lo que todos los demás están haciendo.

Oremos juntos

Querido Dios, estamos contentos de que podemos decidir obedecerte aun cuando otros no lo hacen. Gracias por mantenernos a salvo de los truenos y los rayos. En el nombre de Jesús. Amén.

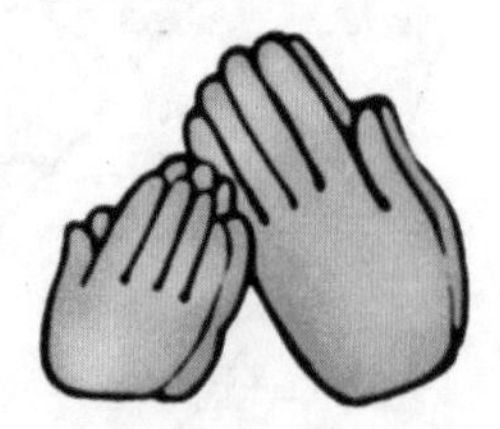

¡Háganla más grande!

Génesis 11:1-9

DECISIÓN: ¿Reconoce la gente de Babel que Dios es el que tiene el control? O ¿ellos tratan de volverse poderosos como Él?

Había un tiempo en el que a mucha gente le gustaba hacer muchos ladrillos para construir cosas. Ladrillos en la mañana, ladrillos al medio día, ladrillos a la hora de la cena. Todo el día hacían ladrillos.

La gente podía hacer muchos ladrillos porque todos se entendían unos a otros. Toda la gente nombraba las cosas con los mismos nombres. Alguien que necesitaba más barro para los ladrillos simplemente decía "barro."

Todos sabían lo que él quería y le traían barro. Alguien que necesitaba agua decía "agua" y todos sabían lo que ella quería y le traían agua. Alguien que necesitaba paja sólo decía "paja" y todos sabían lo que él quería y le traían paja.

Todo el día y toda la noche la gente trabajaba duramente haciendo ladrillos. ¿Por qué? Porque ellos pensaban que estaban construyendo algo maravilloso. Estaban construyendo una ciudad con una torre. La torre sería alta y fuerte. Alcanzaría hasta el cielo. La gente

pensaba que si ellos construían esa torre hasta el cielo, podrían treparla y serían tan poderosos como Dios.

Pero Dios no estaba contento. Él sabía que la gente no tenía suficiente sabiduría para ser tan poderosa. Ellos cometerían errores y harían daño a otros.

Ahora la gente tenía que tomar una decisión importante. ¿Deberían continuar construyendo su torre y tratar de ser tan poderosos como Dios? O deberían detener la construcción y recordar que Dios es el que tiene el control?

La gente continuó construyendo la torre, más alta y más alta.

Dios no estaba contento. Así que dio a la gente diferentes idiomas. Ahora cuando alguien decía "barro," alguna gente le traía paja. Otros le traían agua. Nadie podía entender a ningún otro. La gente no podía hacer más ladrillos. La ciudad y la torre que la gente intentó construir se llamaban Babel porque las palabras que la gente decía se mezclaron allá arriba. Toda la gente ya no decía el mismo tipo de palabras.

Gente se comenzó a mudar lejos y comenzó a construir muchas diferentes ciudades. En cada ciudad todos hablaban el mismo tipo de palabras. En poco tiempo la ciudad de Babel estaba vacía.

Y la Torre de Babel era solamente un montón de ladrillos quebrados.

Dios amaba a la gente de Babel. Él se puso triste porque ellos decidieron pensar que podrían ser tan poderosos como Él es.

Recordemos juntos

¿Por qué estaba la gente construyendo una torre? ¿La gente de Babel tomó una buena decisión o una mala decisión? ¿Qué hizo Dios para que la gente detuviera la construcción?
¿A dónde se fue a vivir la gente?

Piensa en TUS decisiones

¿Quién tiene el control en tu casa? ¿Quién tiene el control en la escuela? ¿Cuáles son algunas de las cosas que pasan cuando no obedecemos a la persona que tiene el control?

Actividad

Cuida a tus animales de peluche (o mascotas vivas). Y dales algo que hacer. ¿Cómo te sientes si te obedecen? ¿Cómo te sientes si no te obedecen? (Con animales de peluche, haz como si te obedecieran o como si no te obedecieran.)

Dios está a cargo de todos y Él sabe lo que es ¡lo mejor para todos!

Oremos juntos

Querido Dios, ayúdame a aceptar que tú tienes el control todo el tiempo. En el nombre de Jesús. Amén.

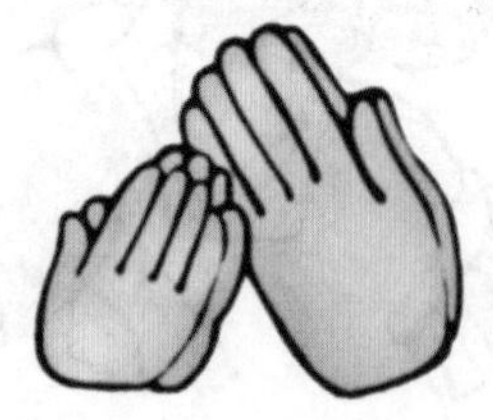

Dejando el hogar

Génesis 12:1-8; 13:2

DECISIÓN: ¿Obedece Abraham la instrucción de Dios de irse lejos? O ¿Se queda donde está?

Abraham vivía en una tienda con su esposa Sara. Afuera de la tienda ellos podían cocinar sobre un gran fuego. Y descansaban debajo de la sombra de un árbol. Las cabras y las ovejas de Abraham comían pasto verde en los campos. El ganado tomaba agua en el pozo. Abraham era feliz en su tienda.

A veces Abraham se movía a otro campo cercano cuando ya no había más pasto verde. Se movía cuando el pozo se secaba. Él y Sara empacaban sus cosas y llevaban a todos sus ayudantes y a todos sus animales con ellos. Se movían a un nuevo lugar y ponían su tienda.

Un día, Dios le dijo a Abraham que se fuera lejos. Él quería que Abraham tuviera un lugar dónde quedarse para siempre. Quería que Abraham tuviera una familia. La familia de Abraham amaría y alabaría a Dios como su único Dios. "Deja este lugar y anda a un lugar que yo te mostraré," le dijo Dios. Yo te cuidaré allí. Puede ser el hogar de tu familia para siempre."

Abraham miró a su buena tienda y a sus animales. Ellos tenían abundante pasto y agua donde estaban. Sería problemático moverlos a todos.

Ahora Abraham tenía que tomar una decisión grande. Él podría obedecer a Dios y empacar sus cosas. Podría mudarse a donde sea que Dios lo guíe. O podría quedarse a vivir cómodamente en su tienda cerca del pozo y el gran árbol.

Esto es lo que Abraham hizo, empacó todas sus cosas para poder seguir a Dios. Él y Sara doblaron su ropa y la pusieron sobre burros. Después empacaron comida sobre camellos.

Abraham reunió a las ovejas y a las cabras. Le dio al ganado el último trago de agua. Después desarmó su tienda y apagó su fuego para cocinar. Y dejó su lugar cerca del árbol que le daba sombra.

Abraham se estaba mudando a donde sea que Dios lo guíe. Él sabía que nunca más regresaría.

Abraham viajó por un largo tiempo. Su esposa Sara estaba con él. El hijo de su hermano, Lot, también estaba con él. Había abundante pasto verde para que las ovejas y las cabras comieran. Y había abundante agua para que las vacas tomaran. Había un lugar donde poner la tienda y un árbol que daba sombra.

Abraham, Sara y Lot estaban felices en su nuevo hogar. Alabaron a Dios y se convirtieron en su pueblo especial.

Dios estaba feliz de que Abraham se mudó a la nueva tierra. Dios bendijo a Abraham y le dio todo lo que necesitaba…¡ y más!

Recordemos juntos

¿Le gustaba a Abraham su casa en la tienda?
¿Qué quería Dios que Abraham hiciera?
¿Tomó Abraham una buena decisión o una mala decisión? ¿Qué hizo Dios por Abraham?

Piensa en TUS decisiones

¿Cómo puedes saber si Dios quiere que te mudes o que te quedes en donde estás? Si tu familia tuviera que mudarse, ¿qué empacarías? Dios siempre va contigo, ¡así como fue con Abraham!

Actividad

Comparte historias de mudanzas que la familia haya hecho. O conversa acerca de cómo se siente cuando tus amigos se mudan lejos. Mira fotos de casas en las que hayas vivido antes, identifica objetos que fueron empacados con cuidado. ¿Cómo te cuidó Dios?

Obedecer a Dios puede significar que nosotros no haremos lo que todos los demás están haciendo.

Oremos juntos

Querido Dios, estamos contentos porque siempre estás con nosotros, aún si nos mudamos. Ayúdanos a decidir seguirte a donde quiera que tú nos guíes. En el nombre de Jesús. Amén.

Compartiendo la tierra

Génesis ***13:5-18***

> **DECISIÓN:** ¿Le permite Abraham a Lot escoger la tierra que él quiere? O ¿Se queda con la mejor tierra?

Abraham amaba a Dios. ÉL siguió a Dios a una nueva tierra. Era una tienda con pasto y riachuelos de agua. Abraham necesitaba el pasto y el agua para sus animales. Él tenía muchas ovejas y cabras. Y también muchas vacas.

Lot tenía ovejas, cabras y vacas así como su tío. Él también necesitaba pasto y agua para sus animales.

Abraham y Lot, los dos tenían ayudantes. Los ayudantes cuidaban a los animales. Los ayudantes de Abraham y los ayudantes de Lot comenzaron a pelear. Los ayudantes de Abraham querían el pasto y el agua para los animales de Abraham. Los ayudantes de Lot querían el pasto y el agua para los animales de Lot.

Abraham miró la tierra. Dios había dicho que la tierra pertenecería a su familia para siempre.

Ahora Abraham tenía una decisión importante que tomar. Él podría darle una parte de la tierra a su sobrino. ¡Hasta podría darle a escoger a Lot la parte que quisiera! O podría decirle a Lot que saliera de su tierra y quedarse con toda la tierra para él.

Abraham sabía que Dios quería que la tierra perteneciera a toda su familia. Dios quería que ellos fueran su pueblo especial. Él quería que lo alabaran, no

que pelearan por la tierra. Abraham le dijo a Lot: "Hay abundante tierra, puedes escoger la parte que tú quieras."

Así que Lot escogió la tierra que tenía la mayoría del pasto verde y los mejores riachuelos de agua.

Lot se mudó. Entonces Abraham miró a su tierra otra vez. Dios le dijo: "Te daré una familia muy grande. Esta tierra será de ellos siempre."

Después Abraham se mudó a un lugar en donde había algunos árboles grandes y alabó a Dios allí. El estaba contento de que Dios siempre cuidaría de su familia.

Recordemos juntos

¿Quién fue a la nueva tierra con Abraham? ¿Por qué necesitaba Lot un poco de tierra para él? ¿Tomó Abraham una buena decisión o una mala decisión? ¿Qué hizo Abraham después de que Lot se fue?

Piensa en TUS decisiones

¿Qué cosas tienes tú que Dios pudiera querer que compartieras con alguien? Asegúrate de pasar un tiempo cada día alabando a Dios y agradeciéndole por todos sus regalos.

Actividad

Cuenta otra vez la historia Bíblica, imitando los sonidos de los las ovejas, cabras y vacas. No te olvides de celebrar y aplaudir cuando Abraham toma ¡su buena decisión!

Dios se pone contento cuando compartimos los regalos que Él nos da, así como hizo Abraham..

Oremos juntos

Querido Dios, ayúdanos a decidir compartir los regalos que tú nos das. Queremos poner de nuestra parte en asegurarnos que la gente tenga lo que necesitan. En el nombre de Jesús. Amén.

El bebé de Sara

Génesis 18:1-15; 21:1-7

DECISIÓN: ¿Confía Sara en que Dios cumplirá con su promesa? O ¿Ella piensa que es imposible?

Sara estaba casada con Abraham. Ella vivía en una bonita tienda y le gustaba cocinar sobre un gran fuego. Todas las noches miraba a las estrellas.

Pero Sara quería algo que no tenía. Ella quería un bebé. Quería sostener y abrazar tiernamente un bebé, mecerlo hasta que se duerma y enseñarle todo acerca del maravilloso mundo que Dios creó.

Dios había prometido a Abraham que él tendría un hijo, pero cada año su esposa Sara envejecía más y más. Ella tenía suficiente edad como para ser abuela y hasta bisabuela. Pero todavía no tenía un bebé.

Dios quería que Abraham y Sara supieran que Él no se había olvidado de su promesa. Él les iba a dar un hijo. Así que Dios envió tres hombres a visitar a Abraham. Ellos realmente eran ángeles. Uno de ellos, el ángel de Dios le dijo a Abraham: "En este tiempo el próximo año, Sara tendrá su bebé."

Sara estaba escuchando desde dentro de la tienda y se rió internamente, pensando: Ya no puedo tener un bebé ahora, ya estoy muy vieja.

El ángel de Dios le dijo a Abraham: "Nada es imposible para Dios. El próximo año Sara tendrá un bebé."

Ahora Sara tenía que tomar una decisión importante. Ella podría creer a Dios y esperar un poco más por un bebé. O podría pensar que era imposible para Dios darle un bebé.

¿Qué hizo Sara? Ella esperó un poco más por la promesa de Dios. Y un año después, cuando Sara tenía casi 100 años, ella tuvo un bebé. Lo nombró Isaac, que significa "risa." Isaac hacía reír a Abraham y Sara. Era un regalo especial de Dios. Ahora ellos tenían un hijo que viviría en la tierra después de ellos.

Dios puede hacer cosas que parecen imposibles. Sara tomó una buena decisión al confiar en Dios y esperar a que Él le diera un bebé.

Recordemos juntos

¿Qué promesa quería Dios que Abraham y Sara recordaran? ¿Por qué podría haber sido difícil para Sara creerle a Dios? ¿Tomó Sara una buena decisión o una mala decisión? ¿Qué nombre le puso al nuevo bebé?

Piensa en TUS decisiones

¿Qué promesas te ha hecho la gente a ti? ¿Crees que cumplirán sus promesas? ¿Por qué? Dios promete amarte y cuidarte. ¿Puedes creerle? ¿Por qué?

Actividad

Nombra algunas maneras en que Dios ha cumplido su promesa de amarte y cuidarte. Haz un dibujo de ti mismo mostrando cómo te hace sentir esto. Decidir creer las promesas de Dios siempre trae felicidad.

Dios se pone contento cuando compartimos los regalos que Él nos da, así como hizo Abraham..

Oremos juntos

Querido Dios, danos paciencia cuando tenemos que esperar hasta que las promesas sean cumplidas. Ayúdanos a decidir creer en todas tus promesas. En el nombre de Jesús. Amén.

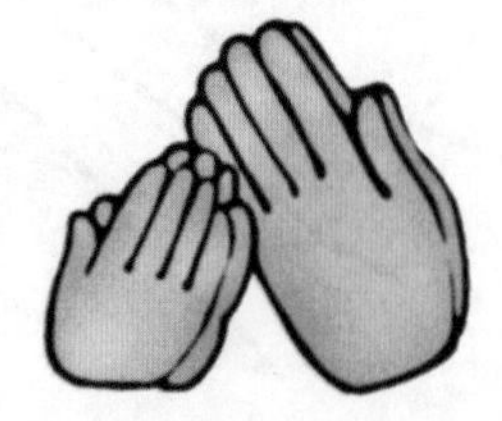

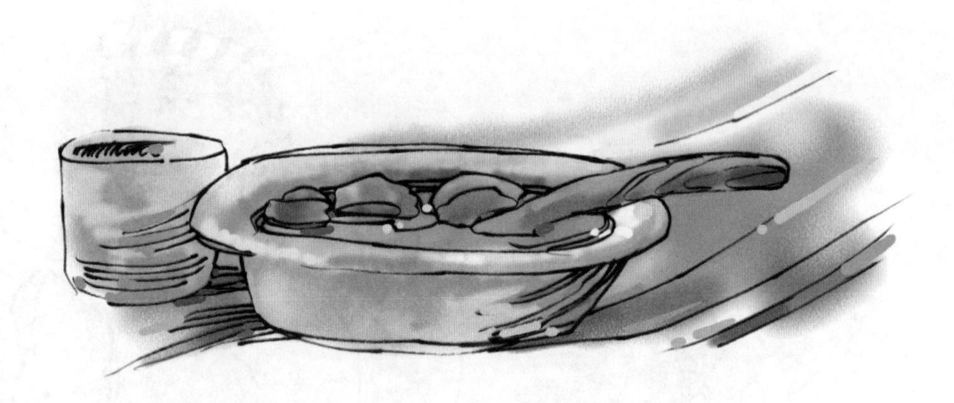

El tazón de guiso

Génesis 25:19-34

DECISIÓN: ¿Elige Esaú ser el líder de su familia algún día? O ¿Sólo piensa en lo que él necesita ahora mismo?

El hijo bebé de Abraham y Sara, Isaac, creció y se casó con Rebeca. Isaac se convirtió en el padre de dos hijos que nacieron el mismo día. Los niños eran gemelos, pero no se parecían el uno al otro ni actuaban igual.

Uno de sus hijos estaba cubierto de vello desde que nació. Su nombre era Esaú. Él nació unos pocos minutos antes que su hermano, así que él era el hijo mayor.

Algún día su trabajo sería ser el líder de su familia. Cuando Esaú creció él era fuerte y vivía en las afueras.

El otro hijo de Isaac estaba agarrado del pie de su hermano cuando nació. Su nombre era Jacob. Cuando creció, siempre estuvo cerca de su casa. A él le gustaba cocinar la carne y el pescado que su hermano Esaú traía a casa. Luego, los hermanos comían juntos. Jacob era el hijo menor, pero sólo por unos pocos minutos. Jacob quería ser el líder de la familia.

Un día, Esaú vino de cazar y tenía mucha hambre. Jacob había estado cocinando todo el día. Tenía una gran olla de guiso cocinándose sobre fuego. Mmmm. Olía muy bien. Se sentía el olor por todo el campamento. Esaú lo olió y se sintió muy, pero muy hambriento. Él estaba listo para darle cualquier cosa a Jacob por un tazón de guiso.

Jacob decidió hacerle trampa a Esaú y le dijo: "Te dejaré comer un poco de guiso, pero tú me debes permitir tomar tu lugar en la familia. ¿Me dejarás ser el líder de nuestra familia algún día?"

Ahora Esaú tenía que tomar una decisión grande. Él podría esperar para encontrar algo más que comer. Y de esa manera él todavía podría ser el líder de su familia algún día. O se podría comer el guiso en ese momento. Entonces, él tendría que darle a Jacob su lugar en la familia.

Esaú tenía mucha hambre. Así que dijo: "Es tuyo. Tú puedes ser el líder de nuestra familia algún día, pero el guiso".

Jacob le dio el guiso. Esaú tenía tanta hambre que, comió, comió y comió. Ni siquiera pensó en lo que había hecho. Él había intercambiado su lugar en la familia por un tazón de guiso.

Dios se puso triste porque Esaú había sido tan impaciente y necio. Pero Dios ayudaría a Jacob, el hermano de Esaú, a ser un líder sabio para su familia.

Recordemos juntos

¿Qué quería Jacob de Esaú?

¿Por qué Esaú entregó su lugar en la familia?

¿Esaú tomó una buena decisión o una mala decisión?

Piensa en TUS decisiones

¿Alguna vez has sentido como que tenías que hacer algo? Quizás te comiste una caja entera de dulces. O, jugaste con un amigo en lugar de ir a casa como te habían dicho. ¿Qué sucedió?

Actividad

Decide que sería bueno hacer, luego, haz una de esas cosas: ¿Ayudar a tu mamá o gritarle? ¿Comer tu comida o no comer y mirar la TV? ¿Planear leer una historia Bíblica todos los días o nunca hacer esos planes?

Las cosas que elegimos hacer hoy, pueden cambiar lo que sucederá mañana.

Oremos juntos

Querido Dios, ayúdanos a tomar el tiempo para hacer lo que es importante. Ayúdanos a recordad que elegir amarte y servirte es lo más importante de todo. En el nombre de Jesús. Amén.

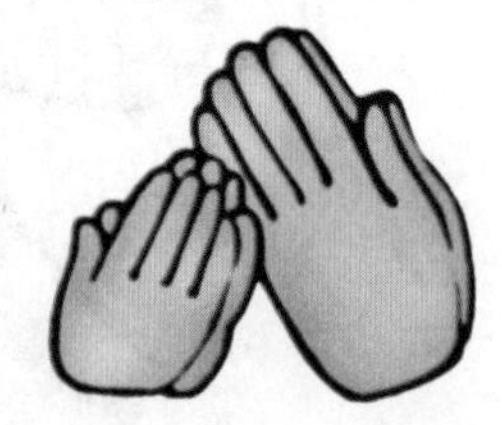

Brazos velludos

Génesis 27

DECISIÓN: ¿Dice la verdad Jacob? O ¿Le miente a su papá?

Jacob quería ser el líder de su familia. Él le hizo un truco a Esaú para que le diera su derecho de ser el líder de la familia. Pero Jacob necesitaba algo más, él necesitaba la bendición de su papá. Isaac, su papá, era ya muy viejo. No podía oír muy bien y no veía nada.

La mamá de Jacob le dijo: "Tengo una idea, tu hermano Esaú tiene brazos velludos. Amarra estas pieles de cabra sobre tus brazos y hazte pasar por él. Entonces tu papá, Isaac, te dará su bendición."

Jacob quería ser el líder de la familia así que aceptó. Puso las pieles de cabra sobre sus brazos y fue a la tienda de Isaac. Llevó carne de cabra que su mamá había cocinado.

Isaac olió la buena comida y pensó que era carne de caza que Esaú había traído. Jacob lo dejó que pensara eso. Isaac se lo comió todo. Y después dijo: "La bendición le toca a mi hijo mayor, Esaú. Esaú tiene brazos velludos. ¿Tienes tú brazos velludos? ¿Eres tú Esaú?"

Ahora Jacob tenía una decisión importante que tomar. Él podría decir la verdad y su papá no le daría la bendición que pertenecía a Esaú. O podría mentir, decir que era Esaú y conseguir la bendición especial de su papá. Entonces él se convertiría en el líder de la familia.

¿Qué hizo Jacob? Jacob permitió que su papá tocara sus brazos velludos. Isaac no podía ver al hijo, pero él creyó que era Esaú. Así que le dio su bendición al muchacho.

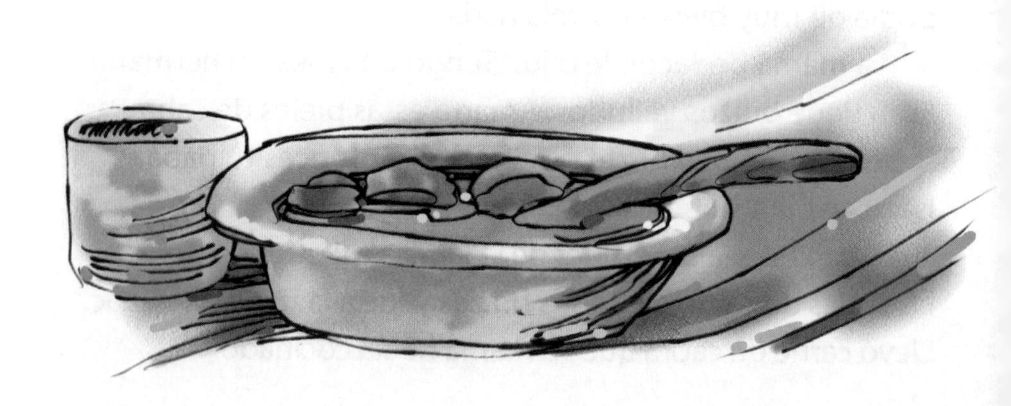

Jacob era ahora el líder de la familia. Cuando Esaú se enteró, se enojó. Estaba tan enojado que hizo planes para herir a Jacob si lo encontraba.

La mamá de Jacob lo ayudó a empacar sus cosas. Jacob era el líder de la familia, pero por ahora no se podía quedar con su familia. Tenía que escapar de Esaú.

Dios estaba triste porque Jacob dijo una mentira. Pero Dios aún amaba a Jacob y viajaba con él a donde quiera que él fuera.

Recordemos juntos

¿Cómo le mintió Jacob a su papá?

¿Qué le pasó a Jacob a causa de su mala decisión?

Piensa en TUS decisiones

¿Cuál es la diferencia entre una Mentira, una mentirita blanca, un gran cuento, y una historia exagerada? ¿Puedes recordar algunas veces cuando te es difícil decir la verdad? ¿Qué pasa cuando dices una mentira —una mentirita blanca o un cuento grande?

Actividad

Usa bloques para construir un camino largo para que Jacob escape de Esaú. Finge que eres Jacob y cuenta cómo te sientes al alejarte más y más de tu familia.

Decir la verdad es siempre mejor que decir una mentira.

Oremos juntos

Querido Dios, sentimos mucho todas las veces en que hemos dicho una mentira. Gracias por perdonarnos y por amarnos. En el nombre de Jesús. Amén.

Hermanos

Génesis ***32-33***

> **DECISIÓN:** ¿Perdona Esaú a Jacob? O ¿Permanece enojado?

Jacob se sentía solo. Había estado lejos de su casa por muy largo tiempo. Había estado lejos por tanto tiempo que ya tenía una gran familia propia. Él tenía muchas cabras, camellos y ovejas. También tenía muchas vacas y burros. Pero se sentía solo. Extrañaba a su hermano Esaú.

Jacob quería volver a casa, pero estaba asustado. Esaú había estado realmente enojado cuando él se fue. Quizás todavía intentaría herir a Jacob y hasta a su familia también.

Jacob se sentía tan solo que finalmente decidió volver a casa de todas maneras. Él confiaría en que Dios arreglaría las cosas entre él y Esaú.

Así que hizo empacar a su familia y a sus animales y se dirigió a casa.

Jacob le envió un mensaje a Esaú, dejándole saber que estaba regresando. Después Jacob escuchó que Esaú venía a encontrarse con él y que ¡tenía 400 hombres con él!

Jacob estaba asustado. Él le habló a Dios, le dijo: "Tú me dijiste que volviera a mi familia.

Tú prometiste ser bueno conmigo. Me has amado y me has cuidado bien. Tengo una familia grande. Ahora necesito tu ayuda. Por favor protégeme de Esaú."

Al siguiente día Jacob envió un montón de animales de regalo a Esaú. Envió cabras, ovejas y camellos. Vacas y burros también.

Un día después de eso, Jacob vio a Esaú y a sus 400 hombres que venían. Unos mensajeros llevaron a Esaú el regalo de animales y las noticias: Es tu hermano, Jacob.

¡Jacob! Después de todos estos años. Jacob le había hecho un truco para que renuncie a ser el líder de la familia. Y ahora Jacob volvía a casa.

Esaú tenía que tomar una decisión importante. Él podría enviar sus 400 hombres a herir Jacob. O él podría perdonar a Jacob y podría admitir que había tomado una mala decisión. Él no debería haber cambiado su lugar en la familia por un tazón de guiso.

Esaú reunió a su familia, sus animales, y sus soldados. Él comenzó a marchar hacia Jacob. Jacob vio una gran multitud, vio a Esaú al frente. Jacob estaba asustado, pero no se volvió atrás. Le dijo a su familia que se detuviera y él siguió adelante solo. Caminó despacio hacia Esaú, saludando a su hermano de una manera amable y amigable.

Esaú estiró sus brazos y abrazó a Jacob. Los dos hermanos rieron, hablaron y celebraron todo al mismo tiempo. ¡Era tan bueno estar juntos otra vez! Ellos sabían que Dios quería que estuvieran juntos y que vivieran en paz.

Dios había viajado con Jacob. Ahora Él llevó a Jacob a salvo de regreso a su casa para ser el líder de la familia.

Recordemos juntos

¿Por qué estaba asustado Jacob de regresar a casa donde Esaú? ¿Qué hizo Esaú cuando él vio a Jacob?

¿Tomó Esaú una buena decisión o una mala decisión? ¿Estuvieron los hermanos contentos de estar juntos otra vez? ¿Cómo sabes?

Piensa en TUS decisiones

Recuerda algunas veces en tu familia en que alguien tuvo que perdonar a otro miembro de la familia. ¿Fue fácil? ¿Difícil? ¿Qué sentimientos tenía cada uno antes y después de que el perdón sucedió?

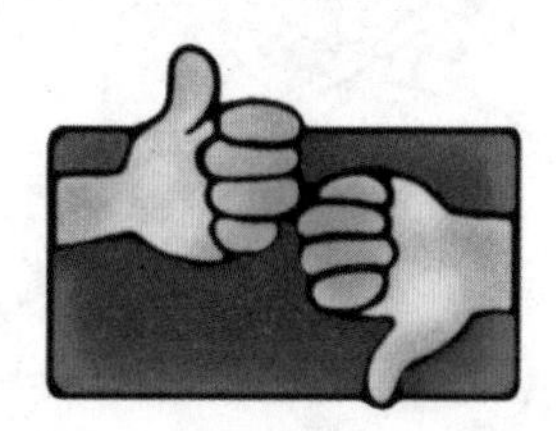

Actividad

Dibuja una criatura fea y pequeña en un plato de papel pequeño. Esa puede ser la familia "Rencor."

Cuando alguien se enoje, dale el Rencor para que se lo quede. Seguramente, ese miembro de la familia ¡no continuará enojado! Mira cómo se siente mucho mejor al decidir perdonar y dejar ir el Rencor.

Perdonar es mejor que quedarse con un feo Rencor.

Oremos juntos

Querido Dios, ayúdanos a decidir perdonar a otros aun cuando nos hieren o nos hacen trucos. En el nombre de Jesús. Amén.

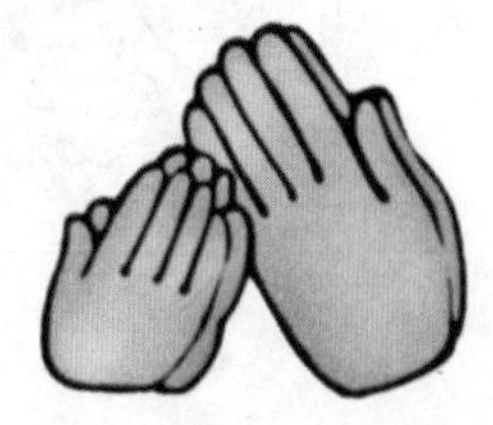

Dentro del hoyo

Génesis ***37: 12-35***

> **DECISIÓN:** ¿Fueron los hermanos de José buenos con él? O ¿Lo enviaron lejos?

Jacob tuvo doce hijos. Algunas veces ellos trabajaban juntos y algunas veces tenían peleas, así como todos los hermanos las tienen.

Uno de los hijos se llamaba José. José era el menor de todos los hermanos. Él pasaba bastante tiempo con su papá, Jacob. Los hermanos mayores trabajaban en el campo y cuidaban las ovejas. José era un adolescente, y él ayudaba a cuidar las ovejas también.

Algunas veces Jacob daba regalos especiales a un hijo, otras veces a otro, así como todos los padres lo hacen. Pero un día le dio a José algo muy especial —una maravillosa capa nueva. Los hermanos de José también tenían capas. Algunas eran grises, verde o marrón. Pero la capa de José tenía todos los colores del arcoíris en ella. Tenía amarillo, rojo y azul. Tenía morado, dorado y plateado. Era una capa maravillosa. José se la puso en seguida. ¡Qué feliz estaba! Pero los hermanos estaban celosos de la hermosa capa de José.

Una noche José tuvo un sueño extraño. Cuando se despertó, les dijo a sus hermanos todo acerca de él. Les dijo: "Soñé que ustedes eran once paquetes de trigo, yo era el paquete número doce. Todos ustedes tenían que hacer una venia delante de mí porque yo era el más importante."

Los hermanos de José no querían hacer una venia delante de su hermano menor. Ellos no querían escuchar más acerca de sus sueños. Así que estaban muy disgustados cuando José les contó otro sueño.

Esta vez el sol y la luna y once estrellas hacían una venia delante de José. Su papá preguntó: "Tu mamá y yo ¿nos inclinaremos delante de ti algún día? ¿Todos tus once hermanos se inclinarán a ti también?

Los hermanos de José estaban muy celosos. Ellos recordaron que su papá, Jacob, le había dado un regalo

especial a su hermano menor. Ahora José decía que ellos ¿le tendrían que hacer una venia a él también?

Los hermanos tenían que tomar una decisión importante. Ellos podrían dejar a José en paz y regresar al trabajo. Y podrían recordar los bonitos regalos que ellos habían recibido de su papá. O podrían quitarle la capa a José, y herirlo para que no estuviera ya más en su camino.

¿Qué hicieron? Todos esos hermanos grandes agarraron a José en pandilla. Lo hicieron cuando José vino al campo a ver si ellos estaban bien. Su papá lo había enviado.

Los hermanos estaban bien, pero pronto José no estaría bien. Sus hermanos le quitaron su capa fina y lo empujaron dentro de un gran hoyo. Iban a matarlo. Entonces vieron unos comerciantes de Egipto.

Un hermano tuvo una idea. Él dijo: "Vendamos a José a los comerciantes que van para Egipto."

Así lo hicieron.

Después tomaron la maravillosa nueva capa y la ensuciaron. Hicieron que parezca que José había estado peleando con un animal. Llevaron la capa a Jacob y le hicieron creer que un animal salvaje había matado a José.

Jacob estaba muy, muy triste. Él pensó que nunca más volvería a ver a José.

Dios estaba muy triste porque sus hermanos fueron tan malos con José. Pero Dios viajó con José a Egipto y siempre estuvo con él.

Recordemos juntos

¿Cómo se sintieron los hermanos de José acerca de su nueva capa? ¿Cómo hacen sentir los sueños de José a sus hermanos?

¿Qué le hicieron sus hermanos a José? ¿Los hermanos tomaron una buena decisión o una mala decisión?

Piensa en TUS decisiones

¿Qué clase de cosas te hacen sentir celoso de un hermano? ¿O hermana? ¿O un amigo? ¿Qué puedes hacer con esos sentimientos para que no sean dolorosos?

Actividad

Colorea un papel con todos los colores que la capa de José podría haber tenido. Mientras colorea, piensa en algo bueno que puedas hacer. Después, hazlo por una persona que tiene algo que a tí te gustaría tener.

Dios quiere que seamos felices con lo que tenemos y con lo que otros tienen.

Oremos juntos

Querido Dios, ayúdanos a ser amables con otros. Ayúdanos a ser felices por ellos aún si ellos tienen algo que nos gustaría tener. En el nombre de Jesús. Amén.

Una larga espera

Génesis 39; 41

DECISIÓN: ¿Confía José en que Dios resolverá las cosas en Su tiempo? O ¿José pone en duda el plan de Dios?

José estaba lejos de casa. Los comerciantes que lo compraron, lo llevaron a Egipto.

Allí, él tenía que trabajar para un hombre rico. José era un buen trabajador e hizo todo lo que debía hacer. Pero la esposa del hombre rico se enojó con José. Ella engañó a su esposo para que metiera a José en la prisión.

José no podía ver a los pajaritos ni podía sentir la lluvia en la cara. No le gustaba estar en la prisión todo el día. Día tras día él esperaba que Dios lo ayudaría a salir de la prisión. Pero día tras día nada pasaba.

Ahora José tenía que tomar una decisión importante. Él podría dejar de esperar por la ayuda de Dios y tratar de salir por sí mismo.

Quizás podría convencer a uno de los guardias que lo deje ir. Quizás podría robar las llaves y escapar. O él podría confiar en Dios. Podría creer que todo lo que le había sucedido era parte del plan de Dios. Y podría esperar a que Dios le mostrara qué hacer.

José decidió confiar en Dios. Aún así él no salió de la prisión por un largo tiempo. Pero un día un hombre vino a ver a José. Éste hombre era un ayudante del Faraón.

El Faraón era como un rey sobre todo Egipto. Él había escuchado que José podía entender el significado de los sueños. El faraón había tenido un sueño especial. Él quería que José le dijera lo que ese sueño especial significaba.

José fue con el ayudante del Faraón y escuchó mientras el Faraón contaba su sueño. Se trataba de siete vacas gordas y siete vacas flacas.

Dios le mostró a José lo que el sueño significaba. José "Las siete vacas gordas significan que habrá siete años buenos. Cosechas de grano crecerán, y habrá mucha comida. Las siete vacas flacas significan que habrán siete años malos. Los cosechas de grano no crecerán, y no habrá nada de comer."

Faraón preguntó: "¿Qué debemos hacer?"

José dijo: "Mientras haya bastante grano, guárdalo en cestas grandes para cosechas. Entonces el grano extra puede ser usado para hacer comida cuando no haya suficiente."

José se convirtió en un ayudante importante para el Faraón. Él lo puso a cargo de todas las cosechas de granos en el país. Donde había bastante grano, él guardó un poco en grandes cestas.

Entonces por siete años no hubo lluvia y todas las cosechas murieron. No había comida en ninguna parte. Pero José tenía grano en las cestas. Él le daba un poco a cada persona. Así todos podían usar el grano para hacer comida.

Dios estaba contento de José confiaba en Él y esperaba por su ayuda. Dios tenía un buen plan para José. Él ayudó a José a convertirse en un líder importante en Egipto.

Recordemos juntos

¿Cómo se sentía José cuando estaba en la prisión? ¿Por qué tratar de salir de la prisión por sí mismo había sido una mala decisión? ¿Cómo ayudó José al Faraón —y a todos los demás?

Piensa en TUS decisiones

¿Alguna vez has esperado por largo tiempo por una respuesta a una oración? Quizá estás esperando por una respuesta ahora. ¿Puedes ser como José? Puedes esperar y confiar en Dios?

Actividad

Actúa haciendo diferente clases de trabajos. Algún día tú crecerás y Dios te ayudará a saber lo que Él quiere que hagas.

Esperar por la respuesta de Dios es siempre algo bueno para hacer.

Oremos juntos

Querido Dios, gracias por responder a nuestras oraciones justo en el tiempo correcto. Gracias por tus planes para cada uno de nosotros. Quédate con nosotros mientras esperamos para saber lo que tú quieres que hagamos.
En el nombre de Jesús. Amén.

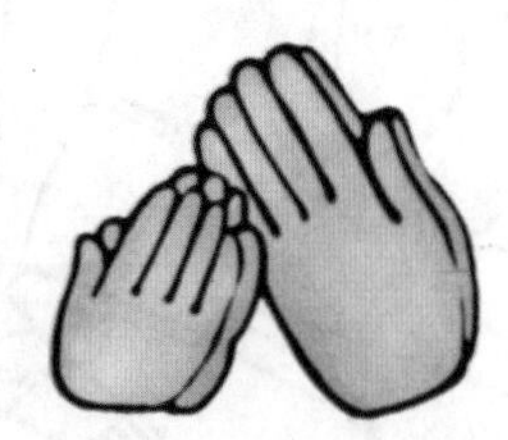

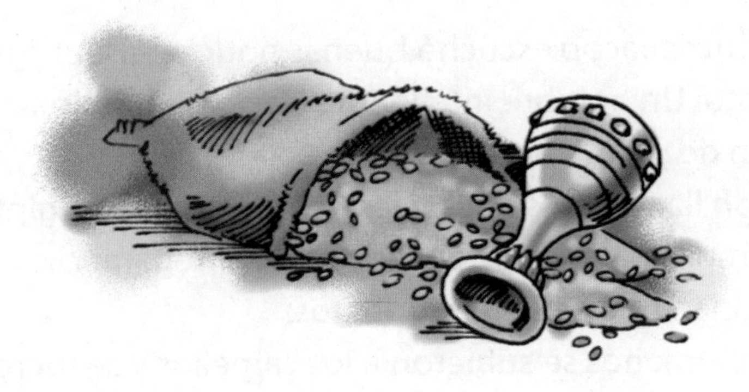

¡Yo soy José!

Génesis **42-45**

> **DECISIÓN:** ¿Piensa José en las cosas buenas que pasan? O ¿Solamente piensa en las cosas malas?

Después de que los hermanos de José lo habían vendido a los comerciantes de Egipto, regresaron a su papá, Jacob. Ellos habían hecho que su papá pensara que José había muerto.

Los hermanos sabían que José estaba vivo, pero ellos pensaban que nunca lo volverían a ver.

Un año no crecieron cosechas de grano. El siguiente año tampoco crecerían las cosechas. El tercer año sucedió lo mismo. Esto siguió durante los siguientes siete años. Finalmente ya no había grano para preparar comida. Esas eran las malas noticias.

Entonces Jacob escuchó buenas noticias: ¡Había grano en Egipto! Un hombre inteligente había guardado un montón de grano en cestas.

Jacob llamó a sus hijos y les dijo que vayan a Egipto y que compren grano. Entonces podrían preparar comida y no tendrían que estar hambrientos.

Los hermanos se subieron a los camellos y se fueron rápidamente.

Ellos viajaron por un largo tiempo y finalmente llegaron a Egipto. Allí preguntaron por el hombre importante que había guardado un montón de grano. Cuando llegaron a ver al hombre, fueron muy educados. Hicieron una venia y le pidieron grano para comprar. Ellos no sabían que este hombre era su hermano José.

Pero José sabía que los hombres eran sus hermanos. Él sabía que hacía mucho tiempo ellos lo habían vendido a un comerciante de Egipto. Él también sabía que había un hermano menor llamado Benjamín que se había quedado en casa. Así que José hizo que se quedara uno de los hermanos mayores en Egipto, y envió a los otros hermanos de regreso a casa para traer a Benjamín. Él envió sacos de grano con ellos y puso su dinero de regreso en sus sacos.

Los hermanos no sabían qué pensar, estaban asustados de lo que José les haría. Pero finalmente ellos regresaron a Egipto con Benjamín. José invitó a todos ellos a comer en su casa.

Pronto los hermanos estaban yendo de regreso a casa con más sacos de grano. Pero José les había hecho un truco y había escondido su copa especial de plata en el saco de Benjamín. José envió a un ayudante a traer a los hombres de regreso a Egipto otra vez. Les dijo que tendría que retener a Benjamín en Egipto por robar su copa de plata. Pero los hermanos mayores dijeron que no podían permitirle hacer eso. Su papá se pondría muy triste. Así que José se dio cuenta de que sus hermanos mayores habían aprendido a ser considerados.

Ahora José tenía una decisión importante que tomar. Él podría pensar acerca de las cosas buenas que habían

pasado porque él estaba viviendo en Egipto. Podría pensar en el grano que había guardado. Y podría pensar en la gente que podía preparar comida con el grano. Entonces podría decirle a sus hermanos quién era. Podría perdonarlos por todo lo que habían hecho. O podría recordar sólo las cosas malas que sus hermanos habían hecho para vengarse de ellos.

Esto es lo que José hizo, él dijo: "¡Yo soy José! Yo soy su hermano."

Los hermanos estaban asustados. Pero José dijo: "Yo sé que ustedes querían hacerme daño, pero Dios permitió que yo viniera a Egipto para que pudiera ayudar a mi familia. Hay abundancia de grano aquí para preparar comida. Traigan a mi papá a Egipto y estaremos todos juntos otra vez."

José sabía que era Dios quien había sacado algo bueno de lo malo en su vida. Dios estaba contento de que José sabía esto. Dios también estaba contento de que José perdonó a sus hermanos y ayudó a su familia.

Recordemos juntos

¿Por qué fueron los hermanos de José a Egipto? ¿Qué cosa mala recordó José cuando vio a sus hermanos? ¿Pensó José sólo acerca de las cosas malas que sus hermanos hicieron?

¿José tomó una buena decisión o una mala decisión? ¿Qué cosa buena sacó Dios de lo malo en la vida de José?

Piensa en TUS decisiones

¿Cuándo una mala situación en tu familia se ha convertido en algo bueno? ¿Cómo te sientes cuando piensas solamente en lo que está mal? ¿Cómo te sientes cuando encuentras lo bueno que sale de lo malo?

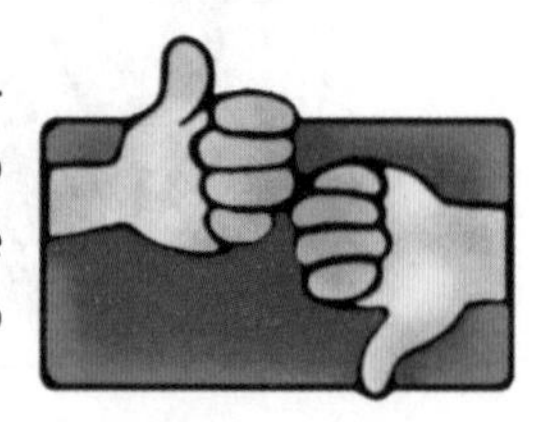

Actividad

Inventa una historia acerca de malas noticias. Después inventa un final feliz para la historia.

Aun cuando cosas malas suceden, podemos creer que Dios tiene planes buenos para nosotros.

Oremos juntos

Querido Dios, danos valentía cuando pasen cosas malas. Ayúdanos a creer que tú puedes sacar algo bueno de lo malo. En el nombre de Jesús. Amén.

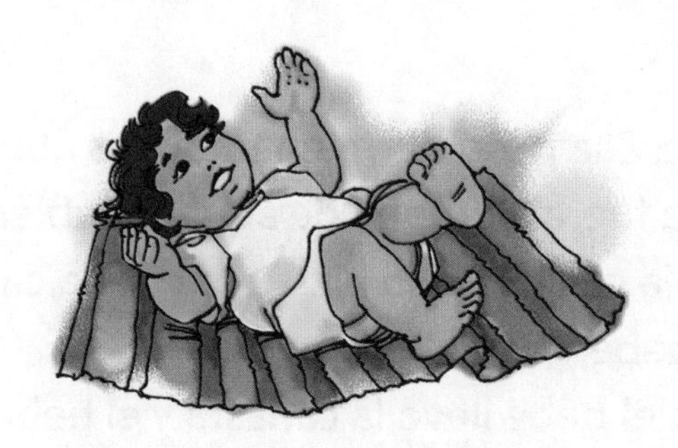

La canasta flotante

Éxodo 1:6-2:10

DECISIÓN: ¿Ayuda Miriam a su hermanito?
O ¿Ella se va corriendo?

Muchos años después de que José y sus hermanos vivieron en Egipto, había un nuevo Faraón.

A él no le gustaba el pueblo de Dios. Él los hizo trabajar como esclavos construyendo grandes edificios para honrarlo. Ellos tenían que trabajar muy duramente. Hacían ladrillos y cargaban agua y movían piedras grandes.

El Faraón temía que el pueblo de Dios pelearía en contra suya. Así que él creó un plan maligno. Era un plan para evitar que el número del pueblo de Dios creciera. El Faraón dijo que el pueblo de Dios no podía tener ningún bebé varón.

Una madre tuvo un bebé varón y lo amaba mucho. Ella creó su propio plan. Era un buen plan. La madre escondió su bebé por tres meses. Después, empezó a tejer una canasta fuerte. Ella puso barro en todas las aberturas para que la canasta fuera a prueba de agua. También puso tela suave en la canasta. Eso hizo una buena camita para esconder su bebé varón dentro de ella.

La mamá del bebé llevó la canasta y el bebé al Río Nilo. La hermana mayor del bebé, Miriam, fue con ellos.

La mamá besó a su bebé y lo puso en la canasta. Después la puso cuidadosamente en el agua. ¡Flotó! Su pequeño no se mojó para nada. Entonces la madre tuvo que volver a casa.

Miriam se quedó para cuidar la canasta con su hermanito en ella. Pronto, escuchó voces. Miriam miró a través del pasto alto y vio a ¡la hija del Faraón! La princesa había venido al río a tomar un baño. Quizá ella vería la canasta y encontraría al bebé. ¿Qué haría Miriam?

Ahora Miriam tenía que tomar una decisión importante. Ella podría quedarse y tratar de ayudar a su hermanito. O podría salir corriendo.

Esto es lo que Miriam hizo. Ella se quedó para oír y mirar. La hija del Faraón vio la canasta y llamó a una de sus ayudantas para que la trajera. Tan pronto como la princesa vio el bebé adentro, ella lo amó. Lo nombró Moisés. Y dijo que Moisés sería como su propio hijo.

Miriam aún no salió corriendo. Más bien, corrió directamente hacia la princesa. Ella le dijo: "Yo puedo

encontrar a alguien que cuide al bebé para ti. Te gustaría que lo hiciera?"

"Ah, sí, sería muy útil," dijo la princesa.

Miriam corrió a casa para decirle a su mamá las maravillosas noticias: ¡Ellas podrían cuidar al bebé Moisés

para la princesa! Y el bebé estaría a salvo. Algún día él viviría en la casa del Faraón.

Dios estaba contento de que Miriam ayudó a su familia. Miriam ayudó a mantener al pequeño Moisés a salvo. Y todo era ¡parte del plan de Dios!

Recordemos juntos

¿Por qué una madre hizo un bote para su bebé varón? ¿Cómo ayudó la hermana mayor del bebé, Miriam, a su hermanito? ¿Tomó Miriam una buena decisión o una mala decisión?

Piensa en TUS decisiones

¿Cuáles son algunas maneras en las que tú ayudas en tu casa? ¿Hay veces en las que te gustaría salir corriendo en vez de ayudar? ¿Qué debes hacer entonces?

Actividad

Haz flotar una hoja grande sobre agua para ver cómo la canasta de Moisés flotó en el agua. Después, haz con tu familia una lista de reglas de seguridad cuando uno usa agua. Tú puedes ayudar a todos a recordar a ¡obedecer las reglas!

Podemos pedirle a Dios que nos enseñe cómo ser buenos ayudantes.

Oremos juntos

Querido Dios, queremos hacer lo que podamos hacer para ayudar. Muéstranos cómo ayudar a nuestras familias todos los días. En el nombre de Jesús. Amén.

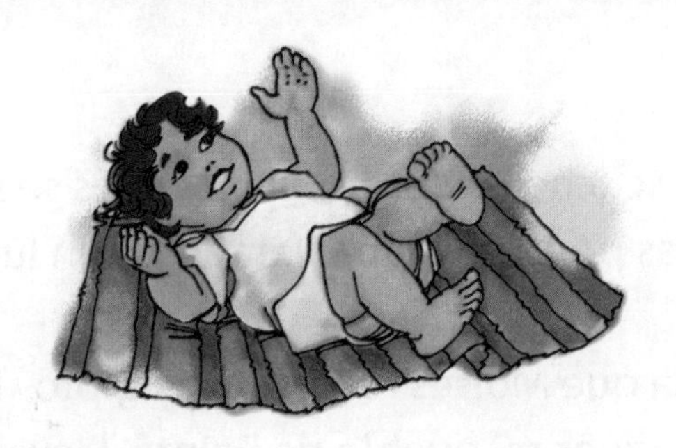

"¡Yo no!"

Éxodo 2:11-4:20

DECISIÓN: ¿Le presta Moisés atención a Dios? O ¿No le importa lo que Dios dice?

Moisés creció como un príncipe en Egipto. Él era como un nieto del Faraón. Pero Moisés sabía que él era realmente uno del pueblo de Dios.

Un día Moisés vio todo el duro trabajo que el pueblo de Dios estaba haciendo. Ellos eran su pueblo, y él se enojó de que fueran esclavos. Él trató de ayudarlos, pero estaba muy molesto. La manera como trató de ayudar no agradó a Dios. Y Moisés hizo que el Faraón se enojara también.

Así que Moisés escapó de Egipto. Él trabajó como pastor, cuidando ovejas por muchos años.

Un día cuando Moisés estaba cuidando a las ovejas, él vio algo extraño. Parecía que un arbusto se estaba quemando. Pero el fuego no parecía estar destruyendo el arbusto. Él se acercó.

Entonces escuchó la voz de Dios. Moisés se sacó las sandalias porque estaba parado en un lugar muy especial.

Dios quería que Moisés regresara a Egipto. Dios le dijo: "Quiero que saques mi pueblo de Egipto. Llévalos a su tierra." ¿Lo haría Moisés?

Moisés dijo: "¡Yo no! El pueblo dirá que nunca te vi."

Entonces Dios le dijo a Moisés que pusiera su vara en el suelo. Cuando lo hizo, la vara ¡se convirtió en una serpiente! Dios le dijo a Moisés que agarrara la serpiente

por la cola. Él lo hizo y se volvió una vara otra vez. "Haz esto por el pueblo," dijo Dios. "Entonces sabrán que tú me has visto." ¿Lo haría Moisés?

Moisés dijo: "¡Yo no! Yo no hablo muy bien."

Dios dijo que Él ayudaría a Moisés a hablar. Pero finalmente Dios dijo que el hermano de Moisés, Aarón, podría ir también. Aarón podía hablar bien.

Ahora Moisés tenía que tomar una decisión importante.

Él había estado escuchando a Dios, así que él sabía lo que Dios quería que hiciera. Él podría ir a Egipto como Dios le pidió. O podría seguir discutiendo con Dios y no hacer lo que Dios quería.

Moisés decidió hacer lo que Dios quería. Al final él aceptó volver a Egipto.

Dios se alegró de que Moisés hubiera prestado atención a lo que Él le dijo. Moisés había pensado que él no podía hacer lo que Dios pidió. Pero a Moisés le importaba lo que Dios dijo. Y Moisés iba a ayudar a salvar al pueblo de Dios.

Recordemos juntos

¿Qué quería Dios que Moisés hiciera? ¿Cuáles eran algunas de las excusas de Moisés? ¿Moisés tomó una buena decisión o una mala decisión?

Piensa en TUS decisiones

¿Puedes pensar en algunos lugares a los que a ti no te gusta ir? Dile a Dios cómo te sientes.
Después pídele que te ayude así como Él ayudó a Moisés.

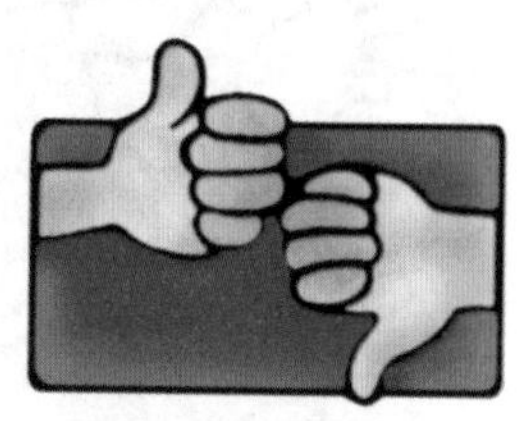

Actividad

La próxima vez que estés en el auto, piensa que Dios está contigo. En cada parada puedes decir: "Dios está con nosotros aquí en el (banco, biblioteca, tienda, etc.)."

Dios nos ayuda a hacer las cosas que Él nos pide que hagamos.

Oremos juntos

Querido Dios, algunas veces nos pides que hagamos cosas difíciles. Danos valentía para decidir hacerlas. Y danos fe para saber que tú estás allí con nosotros a través de todo. En el nombre de Jesús. Amén.

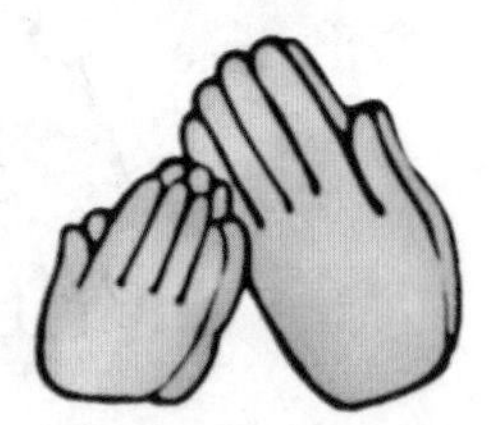

"No"

Éxodo 7-10

DECISIÓN: ¿Creía Faraón en el poder de Dios? O ¿Él no cree en el poder de Dios?

Moisés regresó a Egipto con su hermano, Aarón. Ellos le dijeron al Faraón que Dios quería que su pueblo fuera liberado. El Faraón no les creyó, así que Aarón tiró al suelo su vara y se convirtió en una serpiente.

Pero el Faraón aun así no creía y no dejaría ir al pueblo. El Faraón dijo: "¡No!"

Moisés le dijo a Faraón que su Dios, el verdadero Dios, era más poderoso que todos los dioses que el Faraón tenía.

Faraón pensó en sus muchos dioses. ¿Por qué debería él obedecer a este único Dios de Moisés?

El Faraón dijo: "¡No!"

Así que Dios hizo que cosas malas pasaran para el pueblo de Egipto. Esas cosas malas fueron llamadas plagas. Dios envió ríos de sangre y ranas muertas. Moisés le pidió al Faraón otra vez: "¿Ahora sí dejarás ir al pueblo de Dios? Pero Faraón dijo: "¡No!"

Así que Dios envió pequeñas moscas que picaban y moscas grandes. Él envió una enfermedad que mataba animales. Otra enfermedad cubría a ambos, a los animales y a la gente con heridas en la piel. Entonces Dios envió granizo, langostas y oscuridad. La gente de Egipto estaba realmente asustada.

"¿Ahora sí dejarás al pueblo de Dios ir?" Preguntó Moisés.

Ahora Faraón tenía que tomar una decisión importante. Él podría creer en el poder de Dios. Él podría admitir que Dios tenía poder sobre el clima, los ríos, los animales y la gente. Y podría dejar ir al pueblo de Dios. O él podría mantener al pueblo de Dios como sus esclavos.

Una vez más el Faraón dijo: "¡No!"

Dios estaba descontento de que Faraón no creía en su poder. Dios había enviado a Moisés a liberar a su pueblo, y un día pronto Dios le ayudaría a hacerlo.

Recordemos juntos

¿Qué quería Dios que Faraón hiciera? Puedes nombrar una o más de las plagas que Dios envió? ¿El Faraón tomó una buena decisión ó una mala decisión?

Piensa en TUS decisiones

¿Decidirás creer que Dios es poderoso? Recuerda que Él quiere usar su poder para ayudarte. Nombre alguna manera en la que te puede ayudar cuando estás enfermo…, herido…, en una tormenta…, triste.

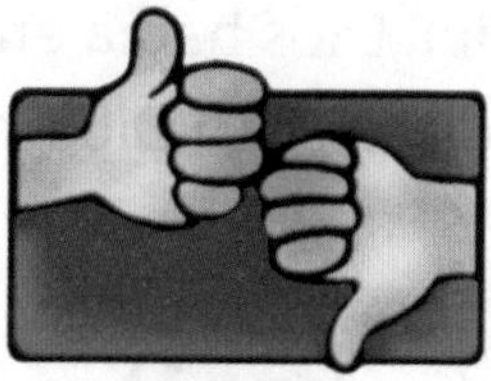

Actividad

Haz una lista de cosas con que la naturaleza puede dañarnos: rayos, nevadas, terremotos, etc. Que bueno es saber que Dios está con nosotros ¡en todas estas cosas! Él está con nosotros así como estuvo con su pueblo en Egipto.

Podemos creer que Dios es poderoso y ¡que nos ama también!

Oremos juntos

Querido Dios, ayúdanos a creer en ti y en tu poder. Tú nos amas y nosotros te amamos a ti. En el nombre de Jesús. Amén.

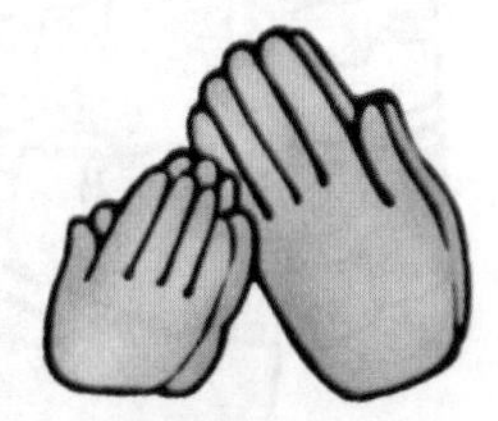

La Pascua

Éxodo 11-12

DECISIÓN: ¿Confía el pueblo de Dios en que Él los salvará? O ¿Ellos piensan que Dios no puede sacarlos de Egipto?

El Faraón no dejaría que el pueblo de Dios saliera de Egipto. Así que Dios hizo que pasaran cosas malas en Egipto. Pero cuando Moisés le pidió a Faraón que dejara ir al pueblo de Dios, él siguió diciendo: "No."

Dios se preparó para enviar al Ángel de la Muerte a Egipto. Pero primero Dios quería estar seguro de que todo su pueblo estaría seguro. Él le dio instrucciones cuidadosas a Moisés. Entonces Moisés le dijo al pueblo qué hacer. "Pinta las puertas con la sangre del cordero. Esto le mostrará al Ángel de la Muerte que debe pasar sobre tus casas. Prepara pan sin levadura para que lo puedas hacer rápido. Come cordero para la cena y debes estar listo para salir rápidamente. Ahora el pueblo de Dios tiene que tomar una decisión grande.

Ellos podrían obedecer a Dios y estar listos, pintando sus puertas y comiendo rápidamente como Él les mandó. O podrían seguir con sus vidas normalmente.

Esto es lo que el pueblo de Dios hizo. Ellos pintaron sus puertas con la sangre del cordero. El Ángel de la Muerte estaba en su ciudad.

Ellos prepararon pan sin levadura porque no había tiempo para dejar que creciera. Y comieron el pan con hierbas amargas para recordarles de los tiempos tristes que tuvieron como esclavos.

El Ángel de la Muerte estaba en su calle.

Ellos comieron con sus capas puestas para poder salir apuradamente. El Ángel de la Muerte estaba en su cuadra.

Ahora la sangre del cordero en las puertas los protegía. Ninguno del pueblo de Dios murió.

El Ángel de la Muerte fue a la casa del Faraón. Fue a todas las casas del pueblo de Egipto.

Durante la noche, el Faraón llamó a Moisés y Aarón para que vinieran a verlo. Esta vez el Faraón dijo: "¡Vayan!"

¡El pueblo de Dios era libre!

Dios estaba contento de que su pueblo confió en Él y le obedeció. Dios los mantuvo seguros. Dios los liberó.

Recordemos juntos

¿Cómo salvó Dios a su pueblo del Ángel de La Muerte?

¿El pueblo confió y obedeció a Dios? ¿Tomó el pueblo de Dios una buena decisión o una mala decisión?

¿Qué le dijo el Faraón a Moisés esa noche?

Piensa en TUS decisiones

Dios puede salvarnos de cosas malas. Y puede salvarnos del pecado. ¿De qué te gustaría que te salve Dios?

Actividad

Prueba un poco de pan sin levadura, algunas veces llamado matzo o una galleta sin sal. Pan plano sin levadura ha estado en las mesas de la Pascua del pueblo Judío desde la primera Pascua. Les recuerda a ellos —y a nosotros— que confiemos en Dios para que nos salve.

Podemos confiar y obedecer a Dios, quien quiere salvarnos de cosas malas.

Oremos juntos

Querido Dios, gracias por salvarnos de muchas cosas malas. Gracias más que nada por enviar a Jesús a salvarnos del pecado. En el nombre de Jesús. Amén.

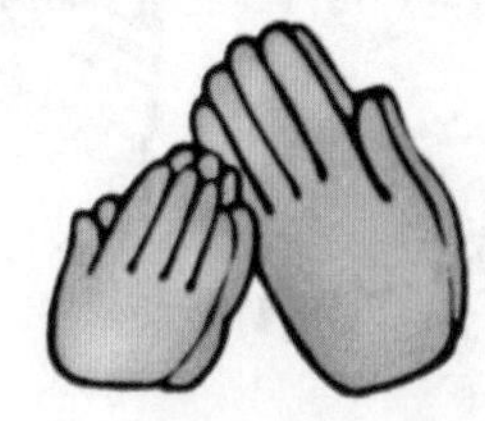

Un camino seco

Éxodo ***13:17-14:31***

DECISIÓN: ¿Confía el pueblo de Dios en Moisés para conducirlos a través del océano? O ¿Ellos piensan que es imposible para Dios ayudar a Moisés?

Moisés y el pueblo de Dios salieron de Egipto gritando y vitoreando. Se llevaron cabras y burros. También sus vacas y ovejas. Ni uno sólo de los del pueblo de Dios se quedó en Egipto. Todos ellos iban a la tierra de Abraham. Los bebés y los niños iban. Los jóvenes y los ancianos iban. Ya no eran más esclavos ¡del malvado Faraón! Debe haber parecido como que estaban yendo a un día de campo enorme.

En Egipto, el Faraón tenía miedo. Después estaba triste. Después se puso enojado, muy enojado.

Empezó a culpar a Moisés por engañarlo para dejar ir al pueblo. Reunió a más de 600 soldados y fue junto con ellos para encontrar al pueblo de Dios. Salieron en sus carros más rápidos y llevaron sus lanzas más afiladas. Iban a detener a Moisés y a llevar al pueblo de Dios de vuelta a Egipto.

A lo lejos, Dios estaba al frente de su pueblo. Él los condujo con una columna de nube durante el día. Por la noche los conducía con una columna de fuego. Finalmente llegaron al Mar Rojo. Había una gran cantidad de agua en frente del pueblo de Dios.

Algunos del pueblo voltearon y vieron polvo a la distancia. Luego vieron caballos. Y vieron carrozas con el

Faraón y sus soldados. Venían con lanzas para llevarse de vuelta al pueblo de Dios a Egipto!

El pueblo de Dios tenía temor. El Mar Rojo se encontraba frente a ellos, el Faraón y sus soldados estaban detrás de ellos. Entonces el pueblo clamó a Dios por ayuda. Pero luego se enojó con Moisés. Ellos dijeron: "¿Por qué nos sacaste de Egipto? Todavía podríamos ser esclavos allí. Eso sería mejor que morir aquí, en medio de la nada."

Moisés le dijo al pueblo que mantenga la calma. Les dijo: "No tengan miedo. Sólo miren y verán cómo Dios cuidará de ustedes. Él luchará contra Faraón y sus soldados por ustedes."

Ahora el pueblo de Dios tenía una decisión importante que tomar. Podría confiar en Moisés, que era su líder. Y podría esperar que Dios le mostrara a Moisés qué hacer. O podrían tratar de averiguar por sí mismos qué hacer a continuación. Si ellos pensaban que era imposible que Dios les ayudara, tal vez comenzarían a regresar a Egipto.

Esto es lo que el pueblo de Dios hizo. Miraron a Moisés. Él había estado hablando con Dios, y ahora hacía lo que Dios mandaba. Él levantó su vara y extendió su brazo hacia el Mar Rojo. Un viento subió y sopló en el agua. Sopló toda la noche, hasta que hubo un camino seco en medio del mar.

El pueblo comenzó a caminar rápidamente por el camino hacia el otro lado del mar. Llevaron sus ovejas, cabras, vacas y burros también. A ambos lados de ellos, las olas salpicaban y el agua retumbaba. Detrás de ellos, los carros se acercaban. Pero el pueblo de Dios se mantuvo seco y seguro.

Cuando la última ovejita estaba segura al otro lado, Dios dijo a Moisés que extendiera su mano de nuevo. El agua se precipitó hacia atrás y cubrió el camino. Cubrió al Faraón y a los soldados y sus carros, también.

El pueblo de Dios estaba contento de que había confiado en Moisés para que los liderara. Moisés era un buen líder. Él escuchaba a Dios. Y Dios le ayudó a mantener al pueblo seguro, aun cuando parecía imposible.

Recordemos juntos

¿Cómo una columna de nube y una columna de fuego ayuda al pueblo de Dios?

¿Por qué tenía miedo el pueblo de Dios? ¿Tomó el pueblo de Dios una buena decisión o una mala decisión? ¿Por qué era Moisés un buen líder?

Piensa en TUS decisiones

¿Cuándo necesitas ayuda para saber lo que Dios quiere que tú hagas? (Cuando me meto en problemas, cuando alguien es malo, cuando no me siento bien, etc) ¿Quiénes son algunos de los líderes en los que puedes confiar para mostrarte lo que debes hacer? (Padres, maestros, pastores, otros adultos que aman a Jesús)

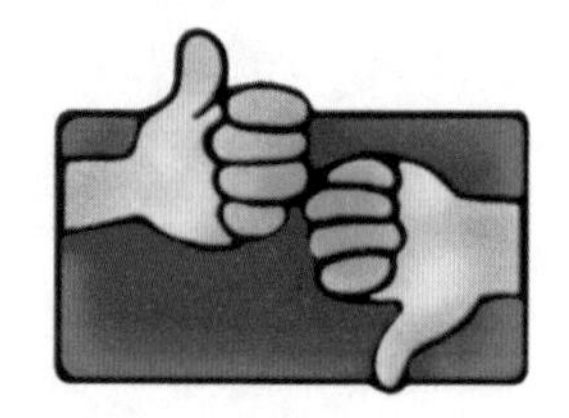

Actividad

Amontona algunas almohadas, toallas o mantas en dos grupos con un espacio en el medio. Apuradamente atraviesa por el medio como el pueblo de Dios al cruzar el Mar Rojo.

Podemos confiar en las personas que aman a Dios para guiarnos.

Oremos juntos

Querido Dios, ¡gracias porque puedes manejar cualquier cosa que sucede! Gracias por mostrarle a los líderes en mi vida, qué hacer cuando necesito ayuda. En el nombre de Jesús. Amén.

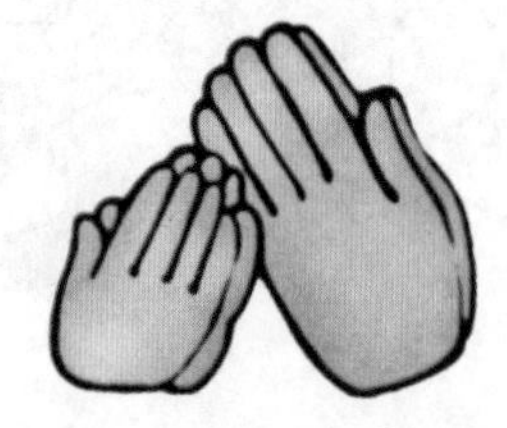

Las reglas buenas de Dios

Éxodo ***19:16-20:21; 31:18;*** *Éxodo* ***5***

DECISIÓN: ¿Les presta atención Moisés a las reglas de Dios? O ¿No quiere saber de las reglas de Dios?

Moisés y el pueblo de Dios viajaron hacia la tierra de Abraham. Dios cuidó de ellos y nunca los dejó.

Un día Dios habló a Moisés en la cima de una montaña. Dios tenía algunas reglas para su pueblo. Pero ellos tenían miedo. Así que Dios quería que Moisés escuchara por ellos.

Dios sabía que la gente necesitaba reglas para vivir.

Ellos necesitan saber cómo amarlo y cómo amarse los unos a los otros. Dios quería darle a Moisés las reglas como un regalo especial. Él amaba a la gente tanto que les dio reglas para protegerlos. Cuando ellos obedecían las reglas, todo les iría bien. Ahora Moisés tenía que tomar una decisión importante. El podría escuchar las reglas de Dios. Luego podría ayudar a la gente a saber cómo obedecer a Dios y ser feliz. O él podría decidir no escuchar a las reglas. Moisés escuchó. Dios le dio las siguientes reglas:

Regla 1: Ama a Dios más que cualquier otra cosa.
Regla 2: No hagas estatuas de otros dioses ni los adores.
Regla 3: Utiliza el nombre de Dios siempre con respeto.
Regla 4: Pasa un día por semana alabando a Dios.
Regla 5: Sé amable y cariñoso con tus padres.
Regla 6: No mates.
Regla 7: Ama a tu esposo o esposa, para toda la vida.

Artículo 8: No robes.
Artículo 9: No digas mentiras sobre los demás.
Artículo 10: No desees nada que sea de otra persona tanto así que lo desees todo el tiempo.

Dios talló las reglas en dos piedras planas. Éstas eran reglas importantes. Si el pueblo obedecía estas reglas, sería feliz y Dios sería feliz también,

Recordemos juntos

¿Por qué Dios quiere dar reglas a su pueblo? ¿Por qué quería Dios que Moisés escuchara las reglas? ¿Tomó Moisés una buena decisión o una mala decisión? ¿Cuántas reglas había? ¿Puedes nombrar una o más de ellas?

Piensa en TUS decisiones

Escoge dos o tres de las buenas reglas de Dios y di cómo puedes ser feliz si las obedeces.

Actividad

En una hoja de papel, escribe "¡Ama a Dios y ama a los demás!" Cuelga el papel sobre el marco de una puerta. Cada vez que camines debajo del cartel, di las palabras. Éstas son palabras importantes. Si haces lo que dicen, estarás obedeciendo las diez reglas de Dios.

Las buenas reglas de Dios nos ayudan a ser felices, ¡si las obedecemos!

Oremos juntos

Querido Dios, gracias por las buenas reglas que nos das. Nos protegen y nos ayudan a vivir felices con los demás y contigo. Ayúdanos a elegir siempre el obedecer tus reglas. En el nombre de Jesús. Amén.

¡Moisés ha desaparecido!

Éxodo ***32-34***

> **DECISIÓN:** ¿Obedece Aarón las reglas de Dios mientras él y el pueblo esperan a Moisés? O ¿Él no obedece?

Moisés habló con Dios en la cima de una montaña. La gente esperaba abajo, en el valle. Moisés se había ido por mucho tiempo. Regresó al pueblo y luego subió a la montaña otra vez. Esta vez se fue por un largo, largo tiempo. El pueblo se preguntaba si Moisés seguía vivo.

Cuando Moisés se había ido por un largo, largo, largo tiempo, el pueblo de Dios pensó que tal vez no regresaría.

Si no tuvieran a Moisés como su líder, ¿quién podría hablar con Dios por ellos? ¿Quién podría conducirlos a la tierra que Dios les prometió?

El pueblo de Dios pensaba que necesitaban otro dios. Recordaron que el pueblo de Egipto tenía muchos dioses. El pueblo de Egipto hacía estatuas o ídolos, de sus dioses. Algunos eran ídolos de piedra o arcilla. Otros eran ídolos de oro. Pero el pueblo de Dios se olvidó de que esos dioses no eran reales. Esos dioses no tenían ningún poder.

El pueblo de Dios reunió todos sus pendientes de oro. Le dieron el oro al hermano de Moisés, Aarón. Le rogaron que les hiciera una estatua de un dios para que pudieran ver a su dios y orar a él. Ahora Aarón tenía que tomar una decisión importante.

Él podría decir al pueblo que lleve el oro a su casa porque Moisés iba a regresar. Él podría creer que Dios todavía estaba con ellos y los llevaría a la tierra de Abraham. O podría fundir el oro para hacer un dios que el pueblo pudiera ver. Tal vez Moisés realmente se había ido para siempre. Tal vez no habría nadie que hablara con Dios por ellos.

¿Qué hizo Aarón? Él hizo un becerro de oro enorme. Dejó que el pueblo lo llamara el dios que los había traído de Egipto. Ellos le dieron regalos al becerro de oro. Luego cantaron, bailaron y comieron alrededor del becerro. Ellos lo adoraban porque creían que Moisés no volvería a hablar con Dios por ellos otra vez.

Mientras estaban adorando al becerro, Moisés regresó. Estaba tan enojado que arrojó al suelo las dos piedras planas con las reglas de Dios. Le dijo a Aarón: "¿Qué has hecho?"

"No te enojes", dijo Aarón.

Pero Moisés le hizo saber a Aarón cuán enojado estaba Dios. Dios estaba muy enojado por lo que Aarón y el pueblo habían hecho.

Moisés subió hacia Dios y le pidió que no deje a su pueblo. Cuando Moisés bajó de la montaña de nuevo, tenía dos piedras planas nuevas. Estas piedras tenían las reglas de Dios talladas en ellas al igual que las primeras.

Dios estaba complacido con Moisés. Así que Dios hizo lo que Moisés le pidió. Dios no rompió su promesa de llevar a su pueblo a la tierra de Abraham. Después de muchos años llegaron a la tierra que Dios les había prometido.

Recordemos juntos

¿Por qué el pueblo de Dios pensó que necesitaba otro dios?

¿Aarón tomó una buena decisión o una mala decisión? ¿Qué hizo el pueblo con el becerro de oro? Dios estaba enojado, pero ¿qué fue lo que hizo porque se sintió complacido con Moisés?

Piensa en TUS decisiones

Nombra personas o cosas por las que tú tienes que esperar (el dentista, el cajero en el supermercado, mamá o papá para que lleguen a casa, Dios para que responda a las oraciones). Mientras esperas, ¿qué tal si cantas coros o dices versículos de la Biblia?

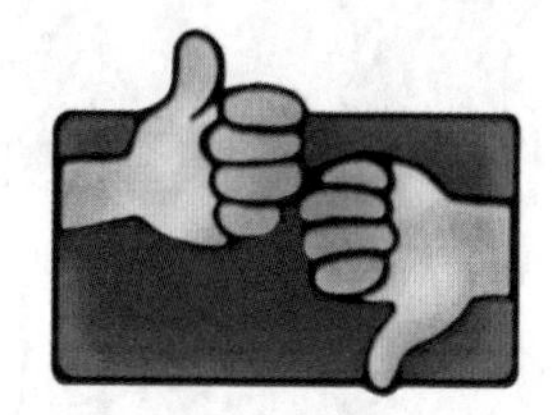

Actividad

Juega a "Simón dice" en algún momento cuando tengas que esperar. Si Dios no quisiera que hagas algo, asegúrate de no decir "Simón dice". Ejemplos: decir una mentira, robar algo, golpear a alguien. Simón dice hay que sonreír, Simón dice hay que cantar, Simón dice hay que abrazar a alguien.

Esperar no es fácil, pero la espera no parece tan larga cuando estamos obedeciendo a Dios.

Oremos juntos

Querido Dios, ayúdame a nunca dejar de obedecerte. En el nombre de Jesús. Amén

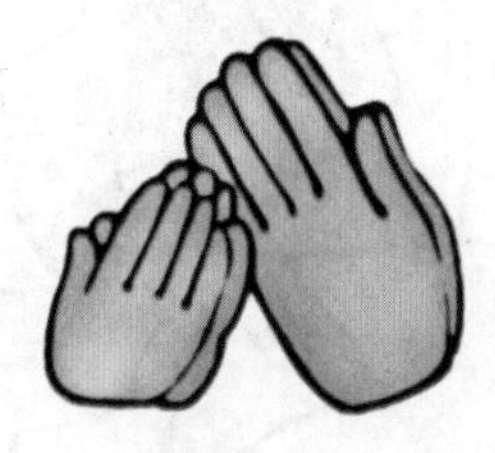

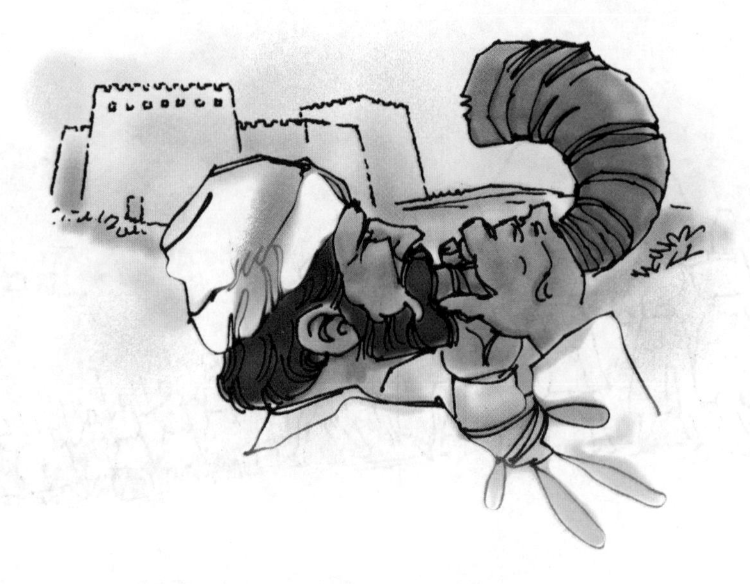

Toca tú trompeta

*Deuteronomio **34**, Josué **6***

DECISIÓN: ¿Josué sigue las instrucciones de Dios en Jericó? O ¿Hace sus propios planes?

El pueblo de Dios caminó por el desierto durante cuarenta años. ¡Eso es mucho tiempo! Muchos niños crecieron en el desierto, y ya tenían sus propios hijos. Después muchas de las personas adultas se convirtieron en abuelos, y cuando envejecieron, murieron.

Finalmente Moisés y el pueblo de Dios llegaron a la tierra de Abraham. Todo lo que tenían que hacer era cruzar el río Jordán, y estarían en su nuevo hogar.

Ahora ya Moisés era muy viejo. Dios le hizo escalar una montaña, donde podía mirar al otro lado del río. Allí Moisés pudo ver la nueva tierra. Pero entonces Moisés murió.

Moisés había sido un buen líder, y ahora Dios tenía otro buen líder para su pueblo. Josué era el nuevo líder.

Josué condujo al pueblo a través del río Jordán. Luego vinieron a la gran ciudad de Jericó. La ciudad tenía un muro grueso a su alrededor. Y el pueblo dentro, no quería que el pueblo de Dios viviera en la tierra.

Josué sabía que ésta era la tierra que Dios había prometido a su pueblo. Así que Josué escuchó cuando Dios le dijo un plan secreto. "Tú debes guiar a mi pueblo

alrededor de las murallas de la ciudad una vez al día durante seis días. En el séptimo día, marchen alrededor de Jericó siete veces. Los que tienen trompetas deben hacer sonar sus trompetas mientras marchan. Luego, haz que todo el pueblo grite lo más fuerte que pueda. Cuando lo hagan, los muros de Jericó caerán."

Josué tenía que tomar una decisión importante. Él podría obedecer a Dios y alinear al pueblo para que marche. Algunos de ellos podrían pensar que no serviría de nada. El pueblo de dentro de las paredes, probablemente se reiría de ellos. Pero era lo que Dios dijo que iba a funcionar. O Josué podría llevar al pueblo al otro lado del río, no dejándolos disfrutar nunca de la tierra que

Dios quería que ellos tuvieran. Después de todo, los muros de Jericó se veían muy, muy gruesos.

Esto es lo que hizo Josué. Alineó al pueblo y marcharon alrededor de las paredes de la ciudad una vez al día. Lo hicieron en el día 1, día 2, día 3, día 4, día 5, y el día 6. Los que tenían trompetas las tocaron.

El día 7, todo el pueblo hizo una fila para marchar de nuevo. Esta vez dieron la vuelta a la ciudad siete veces. Los que tenían trompetas las tocaron. En la séptima vuelta, hicieron sonar sus trompetas fuertemente. Entonces Josué dijo a todo el mundo: "Ahora es el momento ¡Griten!" Entonces el pueblo gritó tan fuerte como pudo. Cuando lo hizo, las paredes alrededor de Jericó ¡se cayeron!

Ahora el pueblo de Dios podría vivir en la tierra que Dios le había prometido. Dios se alegró de que Josué hubiera seguido sus instrucciones. El pueblo de Dios se alegró también. Ahora tenía su propia tierra, y Dios estaba con él.

Recordemos juntos

¿Quién era el nuevo líder después de que Moisés murió?
¿Qué le dijo Dios a Josué que él debería hacer? Tomó Josué una buena decisión o una mala decisión? ¿Qué pasó con las murallas de Jericó?

Piensa en TUS decisiones

¿Alguna vez tu familia ha orado y descubierto que Dios tenía una solución poco común para un problema? ¿Fue fácil seguir sus instrucciones?

Actividad

Consigue algunos tubos vacíos de toallas de papel como trompetas y haz una actuación sobre la marcha de Jericó. ¡Asegúrate de seguir todas las instrucciones!

Cuando oramos, podemos confiar en que Dios nos dará buenas instrucciones.

Oremos juntos

Querido Dios, tus planes son siempre ¡los mejores! Gracias por todas las buenas ideas que le das a la gente. Ayúdanos a elegir el seguir tus caminos. En el nombre de Jesús. Amén.

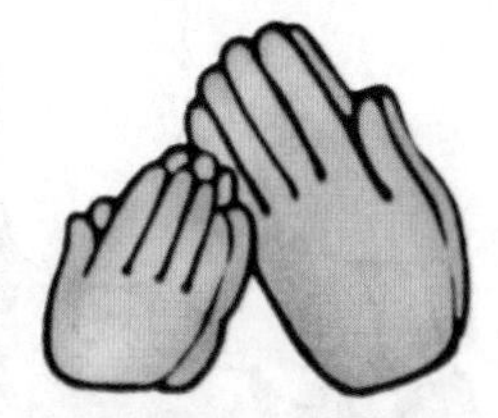

Viajando juntas

Rut 1-4

DECISIÓN: ¿Es Rut buena y amorosa con Noemí? O ¿Rut quiere olvidarse de Noemí?

Rut era una joven que vivía cerca de la tierra que Dios le dio a su pueblo. Rut estaba feliz cuando algunos del pueblo de Dios se mudaron a su tierra. Una familia de cuatro personas vino a su tierra cuando sus cultivos no crecían. Rut estaba feliz porque un joven de esa familia se convirtió en su esposo.

Pero muchas cosas tristes pasaron también. El padre de la familia de cuatro personas murió. Luego, el esposo de Rut murió.

El hermano de su esposo también murió. Entonces, la única que queda de la familia de cuatro era la mamá. Su nombre era Noemí.

Noemí estaba lejos de su casa. Ella escuchó que los cultivos estaban creciendo en su tierra de nuevo. Así que decidió regresar a su hogar en Belén. Las dos jóvenes que se habían casado con sus hijos querían ir con ella. Una de estas jóvenes era Rut. La otra era Orfa.

Noemí pensó que era mejor para las dos jóvenes si permanecieran en su propia tierra. Orfa decidió que Noemí tenía razón. Así que le dio un beso a Noemí y se despidió de ella.

Ahora Rut tenía una decisión importante que tomar. Ella podría viajar a la tierra del pueblo de Dios con Noemí. Podría vivir con Noemí y amar a Dios al igual que Noemí. O podría dejar a Noemí y volver a casa. Podría regresar a su tierra y olvidarse de Dios.

Esto es lo que Rut le dijo a Noemí. "Donde tú vayas, iré yo. Tu pueblo será mi pueblo. Tu Dios será mi Dios." Noemí estaba muy feliz porque que no tenía que volver a casa sola.

Cuando llegaron a Belén, estaban cansadas y tenían hambre. Un amable granjero llamado Booz dejó un poco de grano en su campo. Las personas que necesitaban alimentos podían recoger el grano. Rut tomó un poco de grano e hizo pan para que ella y Noemí pudieran comer.

Booz notó que buena era Rut con Noemí. Se podría decir que Rut la amaba como su propia madre. Booz se aseguró de que Rut y Noemí tenían suficiente para comer.

Día tras día Booz vio a Rut ser amable y amorosa con Noemí. Booz sabía que esta era la clase de esposa que él quería. Así que le pidió a Rut a casarse con él. ¡Qué feliz estaba Noemí! Ahora sabía que Rut se quedaría en la tierra del pueblo de Dios. Y ella sería feliz aquí también.

No muchos años pasaron y un bebé les nació a Rut y Booz. El bebé Obed fue ¡el primer nieto de Noemí!

Noemí era una abuela muy feliz. Booz era un papá muy feliz. Rut era una mamá muy feliz. Y Obed fue un bebé muy feliz.

Dios estaba muy contento también. Le complacía que Rut fuera tan cariñosa y amable con la familia que le dio.

Recordemos juntos

¿Cómo mostró Rut que amaba a Noemí? ¿Rut tomó una buena decisión o una mala decisión? ¿Quiénes fueron las personas en la nueva familia de Rut?

Piensa en TUS decisiones

Nombra una cosa bondadosa o amorosa que puedes hacer por cada miembro de tu familia. ¿Cómo puede tu familia compartir lo que tienen con personas que tienen hambre? Ellos viven más cerca de ti ¡de lo que tú piensas!

Actividad

Las familias son separadas por los años, los kilómetros y, a veces por argumentos. Pero Dios quiere que las familias muestren amor los unos por los otros. Decide hoy llamar o escribir a alguien a quien amas.

Dios se complace cuando las familias hacen cosas buenas los unos por los otros.

Oremos juntos

Querido Dios, gracias por nuestra familia. Ayúdanos a amarnos unos a otros de la forma en que tú nos amas. En el nombre de Jesús. Amén

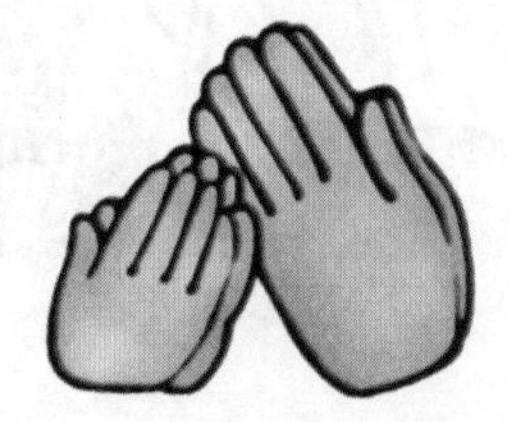

"Por favor, envíame un hijo"

1 Samuel 1:1-2:21

DECISIÓN: ¿Cree Ana que Dios responderá sus oraciones pidiendo ayuda? O ¿Ella piensa que no importa si ora?

Ana estaba muy triste. Tenía una casa bonita que mantenía limpia y ordenada. Y tenía un esposo bueno y fuerte. Pero Ana no tenía un bebé. Así que Ana estaba triste.

Todos los años, Ana y su esposo iban a un lugar especial a orar. Iban a una tienda de campaña grande llamada tabernáculo. Todos los del pueblo de Dios iban allí a adorar a Dios. Había llegado el momento para que vayan a este lugar tan especial otra vez.

Ahora Ana tenía una decisión importante que tomar. Podría ir a orar a Dios. Ella podría decirle a Dios cómo se sentía. Y podría creer que Dios la escucharía y contestaría sus oraciones. O podría quedarse en casa y simplemente sentirse triste. Ella había orado por un bebé durante tanto tiempo, y todavía no tenía ningún bebé. Tal vez Dios no escuchó sus oraciones.

¿Qué hizo Ana? Ella fue con su esposo al lugar especial de adoración. Ella fue a la tienda especial para orar a solas. Ella le dijo a Dios lo triste que estaba. Le dijo que se sentía tan

sola cuando otras mujeres hablaban de sus bebés. Dio las gracias a Dios por su esposo y por su casa. Pero ella le pidió a Dios que por favor, por favor, por favor le envíe un bebé.

Entonces Ana le hizo una promesa a Dios. Ella le prometió que si tenía un bebé, lo dedicaría para que sirviera a Dios toda su vida. Tan pronto como su hijo tuviera la edad suficiente, él serviría allí mismo en el Tabernáculo.

Eli trabajaba en el Tabernáculo. Se sentó cerca del lugar donde Ana estaba orando y llorando. Él le dijo que sus plegarias serían contestadas.

Ana volvió a casa sintiéndose feliz. Ella no tenía un bebé todavía. Pero estaba feliz de que había orado. Se alegraba de haberle dicho a Dios cómo se sentía.

Antes de que un año pasara, ¡el hijo de Ana nació! ¡Dios había escuchado sus oraciones! Ana amaba a su bebé y le puso por nombre Samuel. Contaba los dedos de sus manos y sus pies. Lo mecía para dormir. Le daba baños y lo alimentaba.

Un día Samuel creció lo suficiente como para servir en el Tabernáculo. Así que Ana y su esposo se lo llevaron a Elí. Samuel trabajó con Eli al servicio de Dios. Samuel era un buen ayudante.

Todos los años, Ana le hacía una nueva capa a Samuel. Ella alababa a Dios por haberle dado un hijo maravilloso.

Ana se alegraba por haber orado por un hijo. Dios estaba contento de que Ana había creído que él contestaría sus oraciones. Él cuidaba bien al pequeño Samuel. El niño creció y sirvió a Dios toda su vida, tal como Ana había prometido que lo haría.

Recordemos juntos

¿Por qué estaba triste Ana?
¿Adónde se fue a orar?
¿Tomó Ana una buena decisión o una mala decisión?
¿Cómo respondió Dios la oración de Ana? ¿Cómo sirvió Samuel a Dios?

Piensa en TUS decisiones

¿Por qué cosas oras tú? ¿Dios siempre contesta tus oraciones dándote lo que quieres? A veces Dios puede decir: "¡Espera!" A veces puede decir: "¡No!" Recuerda que éstas son respuestas también.

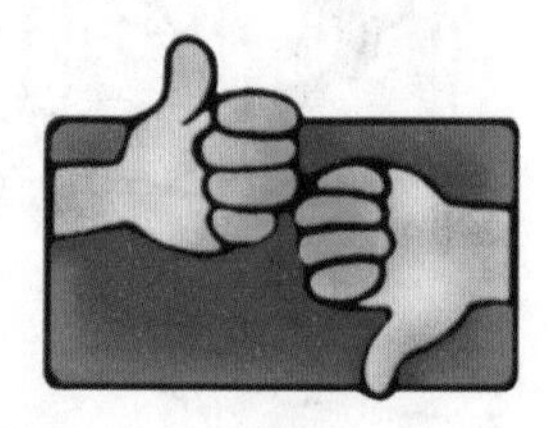

Actividad

Elige un vecino o una familia que conozcas, y ora por ellos todas las noches de esta semana. Pídele a Dios que les dé lo que necesitan. Confía en que Dios les dará la respuesta correcta ¡en el momento adecuado!

¡Orar es lo que se debe hacer siempre!

Oremos juntos

Querido Dios, gracias por permitirnos decirte exactamente lo que queremos y cómo nos sentimos. Gracias por tu atención y cuidado. Gracias por saber exactamente cómo y cuándo responder a nuestras oraciones. En el nombre de Jesús. Amén.

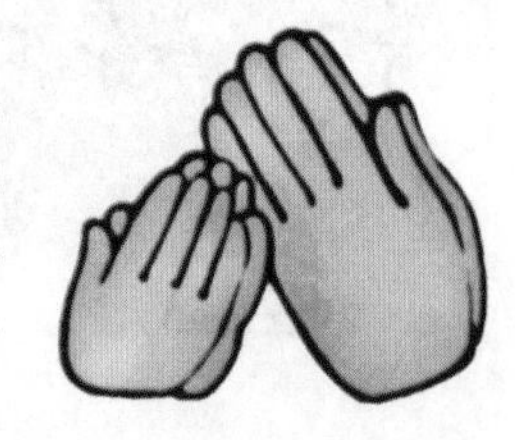

El gran, gran soldado

1 Samuel 17

DECISIÓN: ¿Es David valiente? O ¿Tiene miedo de Goliat?

"David! David!"

A lo lejos en la pradera de las ovejas, David se sentaba tocando su arpa y cantando sobre el mundo que Dios creó. Al principio no oyó la voz. Estaba recordando la época en que había perseguido a un león para alejarlo de las ovejas. El león se había escapado cuando le lanzó piedras, con su pequeña honda. Entonces, la voz era más fuerte. "¡David, ven a casa!" David tomó su honda y corrió a su casa. Su papá dijo: "Yo quiero que vayas donde tus hermanos mayores." Los hermanos estaban combatiendo en un gran ejército. El papá de David quería saber cómo estaban. Y él quería que tuvieran pan, queso y otros alimentos.

Entonces David se preparó para ir a ver a sus hermanos. Él llevó con él la comida que su papá le dio y su honda.

David encontró a sus hermanos y a los otros hombres del ejército. De inmediato, él supo que necesitaban ayuda para ser valientes. La mayoría de las veces eran hombres valientes, pero ahora tenían miedo. Un hombre del otro ejército era tan grande que nadie quería pelear con él. Su nombre era Goliat, y era enorme, ¡era un gigante! Todo lo relacionado con

Goliat era muy grande. Tenía manos enormes y enormes brazos. ¡Y él era muy alto!

Ahora David tenía que tomar una decisión importante. Podría ser valiente y pelear contra Goliat, sabiendo que Dios estaría con él. O podría volver a casa. Después de todo, Goliat era muy, muy grande.

Esto es lo que hizo David. Les dijo a los soldados que él pelearía contra Goliat. Él le dijo al rey: "Dios me

protegió de un león. Él puede protegerme de este gigante, también."

El rey Saúl dijo: "No eres más que un muchacho." Pero cuando el rey oyó lo valiente que era David, dijo: "Adelante. Y que Dios esté contigo."

David no quería usar la armadura de metal que el rey le ofreció. Y él no sabía cómo usar una espada. Él le dijo al rey que iba a vestir su propia ropa y a llevar sólo su pequeña honda.

David encontró cinco piedras lisas por una corriente de agua. Luego fue al encuentro de Goliat.

Cuando Goliat vio a este joven pastor, se rió tan fuerte que no vio a David cuando puso una piedra en su honda. No vio a David haciéndola girar muy rápido. No sabía lo que estaba pasando hasta que la piedra le golpeó —¡pum!— en la cabeza y lo tiró al suelo.

Cuando los hermanos de David y todos los otros soldados vieron caer a Goliat, ellos se sintieron valientes otra vez. Si David podía luchar contra un gigante, ellos podrían enfrentarse a cualquiera. Ese día ganaron la batalla. ¡Hurra por David!

Dios estaba contento porque David era valiente. Y David se alegraba de que él hubiera confiado en Dios para que lo ayude.

Recordemos juntos

¿Por qué los soldados tenían miedo?

¿Por qué David creyó que podría pelear contra Goliat?

Tomó David una buena decisión o una mala decisión? ¿Qué pasó con el hombre muy grande?

Piensa en TUS decisiones

¿Cómo maneja tu familia a los matones en la escuela? ¿O en el vecindario? ¿O en la autopista? El plan de Dios para David era que usara su honda, pero su plan para nosotros puede ser muy diferente. Podría ser simplemente ignorar a un matón, informar de una pelea a un adulto, u orar por una persona hiriente.

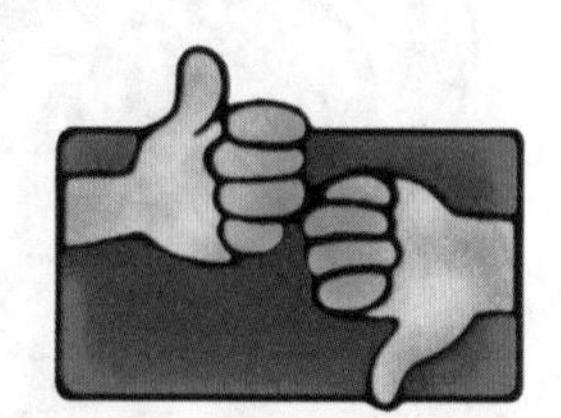

Actividad

Buscar libros en la biblioteca acerca de las formas en que los animales pueden protegerse a sí mismos (ciervos, puercoespines, zorrillos, etc.) Dios hizo los animales de manera que puedan estar seguros. ¡Dios también cuida de nosotros!

Podemos decidir ser valientes y creer que Dios nos mantendrá seguros.

Oremos juntos

Querido Dios, ayúdanos a decidir ser valientes y a confiar en ti. Sabemos que nos mostrarás cómo mantenernos seguros. En el nombre de Jesús. Amén.

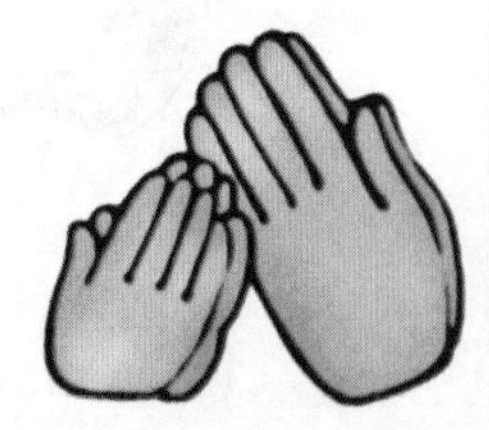

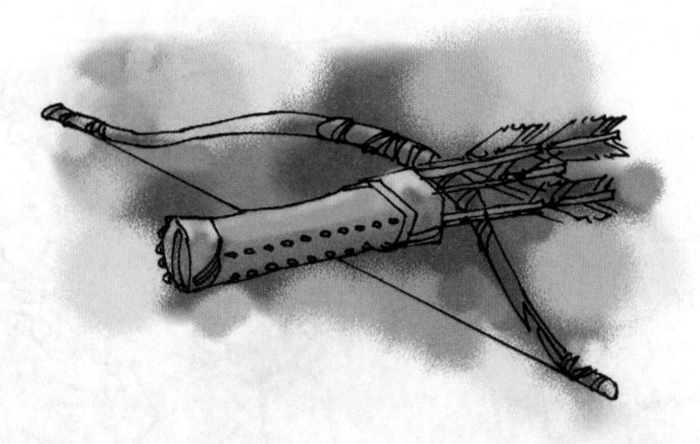

Amigos para siempre

1 Samuel ***18:1-4, 20***

> **DECISIÓN:** ¿Es Jonatán un amigo verdadero? O ¿No quería ayudar a David?

David y Jonatán no eran similares. David cuidaba a las ovejas. Jonatán era el hijo del rey. David tenía una honda para cazar. Jonatán tenía un arco y flecha. David era pobre. Jonatán era rico. Pero de alguna manera se convirtieron en los mejores amigos.

Un día el padre de Jonatán, el rey Saúl, se enojó mucho con David, así que David tuvo que esconderse del Rey Saúl. David y Jonatán no entendían. David no había hecho nada malo. Jonatán no quería que David estuviera en problemas. No quería que su padre hiriera a David.

Ahora Jonatán tenía que tomar una decisión importante. Él podría tratar de averiguar por qué su padre estaba tan

enojado. Y él podría encontrar una manera de ayudar a David para que su amigo estuviera seguro. O Jonatán podría decirle a su padre dónde estaba David. Y podría olvidarse de ser amigo de David. Esto es lo que Jonatán hizo. Pensó en un plan para salvar a su amigo. Le dijo a David: "Escóndete detrás de la gran pila de piedras, mientras hablo con mi padre. Entonces voy a salir y a disparar tres flechas. Voy a enviar un muchacho a recogerlas. Si le digo que me traiga las flechas, eso significa que estarás a salvo. Mi padre no te hará daño. Pero si le digo al muchacho que siga adelante para encontrar las flechas, eso significa que no estás a salvo. Tendrás que irte lejos."

Jonatán habló con su padre. Él podía ver que no era seguro que David regrese. Así que disparó tres flechas y dijo: "Date prisa. Anda rápidamente." El muchacho que estaba con Jonatán recogió las flechas y volvió a la ciudad.

David salió de donde estaba escondido el tiempo suficiente para decir adiós a Jonatán. Los jóvenes estaban tristes. Pero ellos prometieron ser amigos para siempre, pase lo que pase. ¡Y así lo fueron!

Dios estaba feliz de que Jonatán era buen amigo de David. Y Él cuidaba de David, mientras que el rey enojado lo buscaba.

Recordemos juntos

¿Quién era amigo de David? ¿Cómo se siente Saúl acerca de David? ¿Cuál era el plan de Jonatán para salvar a David? ¿Tomó Jonatán una buena decisión o una mala decisión?

Piensa en TUS decisiones

Nombra algunos de tus amigos. ¿Qué les gusta hacer juntos? ¿En qué se parecen? ¿O no se parecen? ¿Cuáles son algunas maneras en que tú y tus amigos se ayudan mutuamente?

Actividad

Dibuja un hombre de palitos en un papel y pon una etiqueta en las partes de una persona que elige ser un amigo: la mano que ayuda, un corazón amoroso, los labios que hablan palabras amables, etc.

Dios nos da amigos y quiere que seamos amables con ellos.

Oremos juntos

Querido Dios, por favor cuida a todos nuestros amigos. Muéstranos cómo ser amables y útiles para ellos. En nombre de Jesús. Amén.

Aun los reyes hacen cosas malas

Samuel 2 11-12:10, Salmo 51

DECISIÓN: ¿Se arrepiente el Rey David de lo malo que ha hecho? O ¿No admite que hizo algo malo?

David tuvo que esconderse del Rey Saúl por mucho tiempo. Pero después que murió Saúl, David se convirtió en ¡el siguiente rey!

David trató de ser un buen rey y de hacer lo bueno. Hablaba con Dios a menudo, y él hacía lo que podía para ayudar a su pueblo. Era un rey bondadoso.

Pero hubo momentos en que el rey David hizo cosas que estaban mal. David pensó que la esposa de uno de sus soldados era muy hermosa. Él la quería tanto que él hizo matar a su esposo y luego se casó con ella.

Dios estaba muy descontento con David, pero Dios todavía lo amaba. Así que Dios le pidió a un hombre llamado Natán que hablara con David acerca de lo que había hecho.

Natán fue a ver al rey. Natán le contó una historia para ayudar a David a ver lo que había hecho mal. Natán dijo: "Un hombre pobre tenía sólo una ovejita. Un hombre rico tenía muchas ovejas grandes y pequeños corderos. Pero el hombre rico tomó el cordero del pobre hombre."

David se enojó cuando escuchó esa historia. Quería encontrar a aquel hombre rico. "Ese hombre debe pagar al pobre hombre", dijo.

Natán dijo, "Ese hombre eres tú, David. Tenías tanto, pero tomaste a la esposa de otro hombre para que sea tu esposa."

Ahora David tenía que tomar una decisión importante. Podría admitir que había hecho algo muy malo. Y podría arrepentirse. O podría pretender que nunca hizo nada malo.

Esto es lo que hizo David. Se detuvo en medio de su ira. Que mal se sintió David por lo mal que había hecho. David sabía que había pecado contra Dios. Así que David oró, diciéndole a Dios cuan arrepentido estaba. Le pidió a Dios que lo perdone. ¡Y Dios lo perdonó!

Dios estaba triste de que David había pecado. Pero Dios estaba contento de que David escuchó a Natán. Ahora que David se arrepintió de lo que había hecho mal, él podría ser un rey mejor.

Recordemos juntos

¿Cómo hizo David infeliz a Dios?

¿Qué le pidió Dios a Natán que hiciera?

¿Cómo ayudó la historia de Natán a David?

¿Tomó David una buena decisión o una mala decisión?

Piensa en TUS decisiones

A veces podrías pensar que puedes esconder las cosas que haces mal. ¿Hay algo que podamos esconder de Dios? Cuanto más pronto hables con Dios acerca de las cosas malas que has hecho, ¡lo más pronto te puede perdonar!

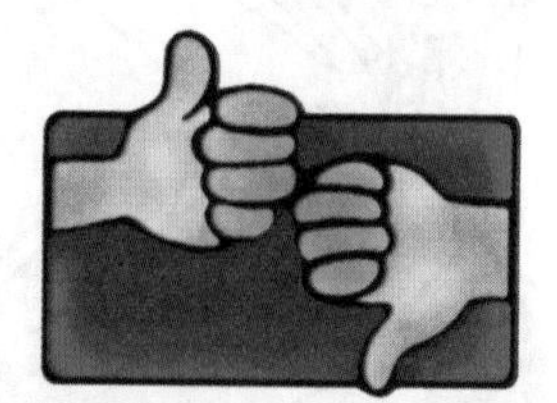

Actividad

Cubre un papel con colores que muestran cómo te sientes (y cómo se siente Dios) cuando tú ha hecho algo mal. Cubre otro papel con colores que muestran cómo te sientes (y cómo se siente Dios) después que le hayas dicho que lo sientes.

Dios nos perdona cuando nos arrepentimos y confesamos las cosas malas que hemos hecho.

Oremos juntos

Querido Dios, todos nosotros —desde los niños hasta los reyes— a veces escogemos hacer cosas que están mal.

Ahora mismo, necesito que me perdones.

¡Gracias! En el nombre de Jesús. Amén.

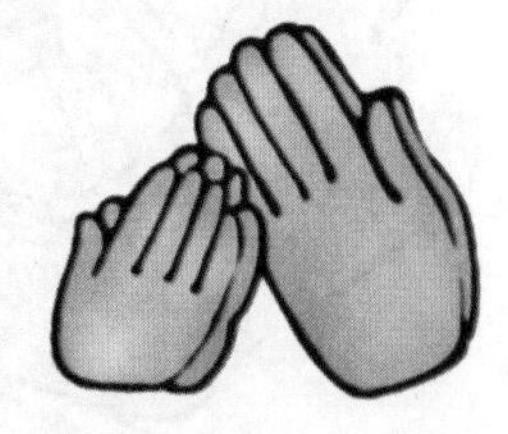

El mejor don

1 Reyes 3

DECISIÓN: ¿Elige Salomón el don de sabiduría? ¿O él le pide un don que no es tan importante?

David tuvo un hijo llamado Salomón. Un día llegó el turno de Salomón para ser rey.

Salomón amaba a Dios y lo adoraba. Una noche Dios le habló a Salomón en un sueño.

Dios le dijo: "Pídeme lo que desees y yo te lo daré".

Salomón puede haber pensado que sería bonito ser rico, porque así tendría todo lo que quisiera.

Tener mucho dinero sería muy bonito.

Luego, Salomón probablemente pensó cuán bueno sería ser realmente sabio. Él no solamente hubiera querido ser listo y saber un montón de cosas. Si Salomón fuese sabio, él querría poder tomar buenas decisiones.

Él querría hacer lo que fuera mejor para el pueblo y querría agradar a Dios.

Ahora, Salomón tenía que tomar una decisión importante. Él podría elegir ser sabio. Entonces, el podría hacer lo mejor para Dios y podría ser un buen rey. O podría pedir dinero. Entonces, él tendría todo lo que quisiera.

Esto es lo que hizo Salomón. Él eligió ser sabio. Le dijo a Dios: "Me has hecho rey sobre muchas personas, pero yo no sé cómo ayudarlos. Muéstrame lo que está bien y lo que está mal. Sólo Tú me puedes ayudar a saber eso".

A Dios le gustó la elección de Salomón. Él dijo: "Te haré sabio". Luego Dios dijo: "También te haré rico".

¡Qué buena decisión tomó Salomón! Se volvió muy sabio. Él podría ayudar al pueblo a saber elegir hacer lo bueno. Podría ayudarles a saber cómo agradar a Dios. Y todas las decisiones que él tomó fueron justas y honestas.

Con el tiempo, Salomón también se volvió muy rico. Construyó un templo hermoso donde la gente podía adorar a Dios. Y construyó un hermoso palacio para sí mismo.

A Dios le agradaba que Salomón hubiese elegido la sabiduría. Dios le dio a Salomón lo que él pidió, pero además le dio mucho, ¡mucho más!

Recordemos juntos

¿Qué le dijo Dios a Salomón que podía tener? ¿Qué pidió Salomón a Dios que le diera? ¿Salomón tomó una buena decisión o mala decisión? ¿Qué hizo Dios por Salomón?

Piensa en TUS decisiones

Piensa en algunos dones que Dios ya te ha dado: ¿Puedes correr rápido? ¿Te gusta cantar o dibujar? ¿Eres bueno para aprender nuevas cosas? ¿Cómo puedes usar esos dones para ayudar a otras personas?

Actividad

Cuando tengas que tomar una decisión esta semana, pídele a Dios que te ayude a ser sabio.
Al finalizar la semana, tú y tu familia pueden hacer una lista de las decisiones sabias que Dios les ayudó a tomar.

Dios es sabio, y quiere ayudarnos a ser sabios también.

Oremos juntos

Querido Dios, ayúdanos a elegir ser sabios y comprensivos como lo fue Salomón.
En el nombre de Jesús. Amén.

Un poco de trigo

1 Reyes 17:7-16

DECISIÓN: ¿Una mujer comparte su comida con Elías? O ¿Guarda su comida para sí misma?

El sol se sentía caliente sobre la cabeza de Elías. Él tenía hambre y sed. No había llovido en la tierra por largo tiempo. No hubo lluvia para llenar los arroyos con agua para beber. No hubo lluvia para que crezca el trigo para la harina. No hubo lluvia para ayudar al crecimiento de los árboles de olivo para el aceite.

Dios le dijo a Elías que se fuera a una ciudad lejana. Dios le dijo que una mujer allí le podría dar comida.

Así es que Elías caminó hacia esa ciudad. Cuando él llegó allí, vio a una mujer recogiendo leños. Él preguntó: "¿Me traerías agua y pan?".

Pero la mujer dijo: "Sólo tengo suficiente harina y aceite para preparar pan para mí y mi hijo una vez más".

Elías dijo: "No tengas temor de preparar pan para mí, también. Dios me dijo que tu harina y el aceite durarán hasta que vuelva a llover".

Ahora, la mujer tenía que tomar una decisión importante. Ella podría preparar el pan para Elías y confiar en que Dios ayudaría a que ella y su hijo tengan lo suficiente para comer. O podría despedir a Elías y preparar lo último que quedaba del pan para ella y su hijo.

Esto es lo que la mujer hizo. Ella preparó un poco de pan y se lo llevó a Elías. Él lo comió todo y le dijo a ella que preparara más. Justo como Elías había prometido,

hubo suficiente harina y aceite para preparar pan para ella y su hijo.

La mujer preparó pan todos los días para ellos tres. Y cada día hubo más harina y aceite en las tinajas. Dios se aseguró de que hubiese lo suficiente hasta que llegara la lluvia. Entonces, el trigo y las aceitunas podrían crecer nuevamente y la gente en todo lugar podría preparar toda la comida que necesitaran.

Dios estaba alegre de que la mujer pudiera compartir su comida y de que ella confiara en Él para que cuide de su familia y de Elías.

Recordemos juntos

¿Por qué tenía hambre Elías?
¿Qué le dijo Dios a Elías que hiciera?
¿Qué le dijo Elías a la mujer cuando ella tenía temor de compartir? ¿La mujer tomó una buena decisión o una mala decisión? ¿Cómo cuidó Dios de Elías, de la mujer y de su hijo?

Piensa en TUS decisiones

¿Alguna vez se te acabó algo (harina, gasolina, dinero, etc.) y Dios te ayudó a que tuvieras lo suficiente? ¿Qué piensas que Dios quiere que tú compartas con alguien? ¿Alimentos? ¿Ropa? ¿Libros? ¿Juguetes?

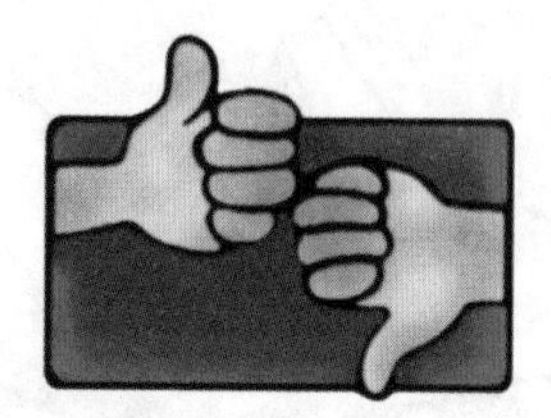

Actividad

Trabaja con tu iglesia o con una agencia de beneficencia local para descubrir si necesitan algo que tú puedas compartir. O agradécele a la persona que haya compartido algo contigo.

A Dios le agrada cuando nosotros compartimos lo que tenemos con los demás.

Oremos juntos

Querido Dios, ayúdanos a decidir compartir las cosas que Tú nos das. Gracias por asegurarte de que siempre tengamos lo suficiente. En el nombre de Jesús. Amén.

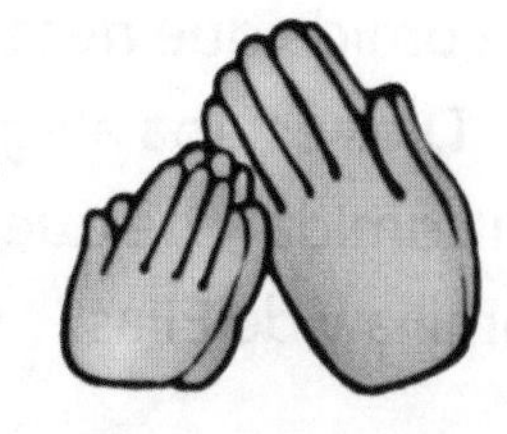

Siete baños en un día

2 Reyes 5

DECISIÓN: ¿Una jovencita ayuda a Naamán? O ¿Se queda callada acerca de quién puede ayudarlo a mejorar?

Naamán era un hombre importante en el ejército. Él era un buen hombre y muy valiente.

Pero Naamán tenía una terrible enfermedad, y nadie lo podía sanar. Tenía úlceras por toda su piel que le causaban dolor y se veían mal. Naamán deseaba que alguien pudiera ayudarlo.

Había una joven que vivía en la casa de Naamán. La joven ayudaba a la esposa de Naamán.

Ella venía de la tierra donde vivía el pueblo de Dios. Amaba a Dios y conocía a otras personas que también le amaban. Ella sabía de un hombre llamado Eliseo. Él era uno de los siervos de Dios.

Naamán y su esposa eran buenos con la joven.

Así es que se sintió triste cuando supo sobre la enfermedad de Naamán. Ella pensaba acerca del siervo de Dios, llamado Eliseo. Estaba segura de que Eliseo sabría qué hacer.

La esposa de Naamán hizo llamar a su pequeña sierva. Así es que la joven fue y procuró saber para qué la necesitaba.

Ahora, la joven tenía que tomar una decisión importante: podría decirle a la esposa de Naamán acerca de Eliseo; podría decir de que él amaba a Dios y que ayudaba a que la gente se sintiera mejor. O podría haberse quedado callada. Después de todo, ella sólo era una joven mujer y era de otra tierra. Nadie pensaría que ella podría ayudar a un hombre importante como Naamán.

Esto es lo que hizo la joven: le dijo a la esposa de Naamán: "Yo conozco a un hombre que ama a Dios. Se llama Eliseo. Tu esposo debería ir a verlo. Yo sé que Eliseo puede hacer que tu esposo esté bien otra vez".

Cuando Naamán escuchó que podría haber alguien que lo podía ayudar, ¡se puso contento! Él y sus siervos tomaron los caballos y los carruajes más rápidos. Y se fueron hacia la casa de Eliseo.

Eliseo dijo que Naamán debía lavarse siete veces en el Río Jordán. Entonces, su piel sanaría.

Naamán se enojó. Él ya había lavado su piel en casa y eso no lo sanó. Pero sus siervos le dijeron: "Si Eliseo te hubiese pedido que hicieras una gran cosa, tú lo habrías hecho gustoso. ¿Qué mal puede venir de lavarse siete veces? Y quizás lo sane".

Así es que Naamán bajó al Río Jordán. Él entró al agua y se frotó la piel una vez. No hubo ninguna diferencia. Lo hizo una segunda vez; no hubo diferencia. Lo hizo una tercera vez y una cuarta y quinta vez. No hubo cambio en

su piel en absoluto. Él entró en el agua por séptima vez y salió y miró sus brazos. No había úlceras. No había nada ni en sus piernas, sus manos ni su cabeza. ¡Naamán había sanado!

Dios estaba complacido de que la joven le hubiese dicho a la esposa de Naamán acerca de Eliseo.

Naamán también estaba feliz acerca de eso. Le agradeció a Eliseo. Y él aprendió a amar a Dios debido a lo que la joven hizo.

Recordemos juntos

¿Qué sabía la joven que podría ayudar a Naamán? ¿La joven tomó una decisión buena o una mala decisión?

¿Qué le dijo Eliseo a Naamán que hiciera? ¿Qué cosas buenas pasaron debido a lo que la joven hizo?

Piensa en TUS decisiones

¿Sabes que tú no eres demasiado joven para ayudar a que la gente conozca a Dios?

Tú le puedes decir a la gente cuánto amas al Hijo de Dios, ¡Jesús! Les puedes mostrar los libros de historias de tu Biblia y cantar las canciones de la iglesia; y decir tus versículos Bíblicos favoritos. También puedes orar por ellos. Nombra a alguien a quien tú puedas ayudar esta semana.

Actividad

Elige una de las ideas mencionadas arriba y hazlo por alguien esta semana.

A Dios le agrada cuando Sus hijos elijen ayudar a la gente a saber sobre Él.

Oremos juntos

Querido Dios, muéstrame cómo ayudar a que alguien te conozca mejor.

En el nombre de Jesús. Amén.

"¡Ahora, escuchen!"

2 Reyes **22-23**

DECISIÓN: ¿Josías lee la Palabra de Dios a su pueblo? O ¿Piensa que la Palabra de Dios no es tan importante?

Josías tenía ocho años de edad y tenía una tarea especial que hacer. ¡Él era el rey! Él quería ser un buen rey. Él quería hacer lo que estaba bien. No sólo quería hacer lo que le parecía bien, sino que quería hacer lo que Dios decía que estaba bien. Y eso es lo que hizo mientras crecía.

Cuando Josías llegó a la juventud, vio que el Templo necesitaba arreglo y las cosas que no pertenecían a ese lugar debían ser sacadas de allí. Así que muchos trabajadores vinieron para reparar y limpiar el templo.

Mientras reparaban el templo, los trabajadores encontraron algunos pergaminos. Los pergaminos pertenecían al Templo, pero por años y años, nadie había sabido de ello.

Los pergaminos, los cuales eran como pedazos de papel enrollados, tenían leyes escritas en ellos. Éstas eran las buenas leyes de Dios que Él le había dado a Moisés hacía ya tanto tiempo.

Uno de los siervos del rey llevó los pergaminos al Rey Josías. El hombre leyó algunas de las leyes de Dios al Rey. Josías estaba alterado. Él se enteró que la gente no había obedecido las leyes de Dios por muchos años.

Ahora, Josías tenía que tomar una decisión importante. Él podría leer todas las leyes de Dios y aprender a obedecerlas y podría reunir a la gente y leerles las leyes a ellos. De esa manera, ellos también aprenderían cómo obedecer a Dios nuevamente. O podría pedir a su siervo que se llevara los pergaminos. Pudiendo decir que pensaba que las leyes de Dios no eran importantes.

¿Qué hizo Josías? Él reunió a la gente. Se paró cerca de un pilar alto en el Templo y empezó a leer. La gente lo escuchaba. Ellos aprendieron acerca de las leyes de Dios y de Su amor y Sus promesas. El rey y su pueblo hicieron una promesa: prometieron amar a Dios y obedecer Sus leyes.

Era bueno que la gente quisiera amar y obedecer a Dios nuevamente. Era bueno que Josías encontrara las leyes de Dios y que las compartiera con todos.

Recordemos juntos

¿Qué se había perdido en el Templo?
¿Por qué estaba alterado el rey Josías?
¿Josías tomó una buena decisión o mala decisión? ¿Qué prometió hacer el pueblo después de escuchar las leyes de Dios?

Piensa en TUS decisiones

¿Con qué frecuencia escuchas historias Bíblicas o lees historias sobre los libros de la Biblia?
¿Qué debes desear hacer cuando escuchas la Palabra de Dios?

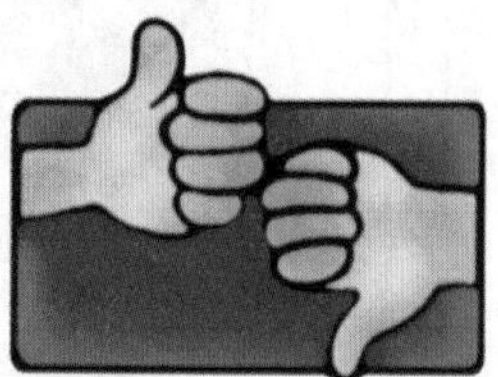

Actividad

Haz un pergamino Bíblico, juntando y pegando con cinta adhesiva varios pedazos de papel. Escribe uno o dos de tus versículos Bíblicos preferidos sobre el papel. Pega un extremo a un tubo de papel toalla y enrolla el pergamino alrededor de él. También puedes escribir en tus propias palabras tu historia Bíblica preferida, y hacer un dibujo de tu historia. Léele la historia a tu familia.

Leer la Palabra de Dios nos ayuda a saber cómo amarlo y obedecerlo.

Oremos juntos

Querido Dios, gracias por la Biblia. Gracias porque podemos elegir leer y escuchar Tu Palabra.
¡Te amamos! En el nombre de Jesús. Amén.

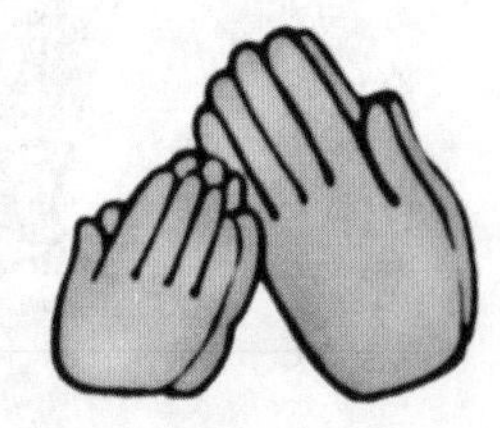

¿Quién les teme a los leones?

Daniel 6

DECISIÓN: ¿Continúa Daniel orando a Dios? O ¿Él deja de orar?

"¡Rugido!" El sonido de los leones llenaba las calles de la ciudad. Ellos eran leones hambrientos, listos para la cena.

Daniel y sus amigos escucharon el rugido de los leones también. Ellos sabían que había una cueva llena de leones. A veces tiraban a la gente a la cueva de los leones. Eso es lo que les sucedía a la gente que no obedecía al rey.

Daniel era un buen amigo del rey. Él era uno de los siervos más importantes del rey. De hecho, el rey estaba listo para hacer de Daniel ¡el siervo más importante de todos!

A los otros siervos del rey no les gustaba Daniel. Ellos no creían en Dios ni lo adoraban como Daniel lo hacía. Y no querían que Daniel fuera el siervo más importante. Así es que ellos desarrollaron un plan.

Un día, los otros siervos fueron a ver al rey. Ellos convencieron al rey de que hiciera una nueva ley.

Ellos dijeron: "Rey, tenemos una idea para una gran ley. Debería firmar una ley que diga que toda la gente debe orarle a usted. Deben hacerlo por treinta días. Ellos no pueden orar a otra persona ni a otro dios. Si lo hacen, ellos serán metidos en la cueva donde están esos leones hambrientos".

El rey pensó que eso sonaba como una buena ley. Así es que él la escribió y firmó. Daniel escuchó acerca de la ley del rey, pero él sabía que era malo hacer lo que esta ley decía. Lo correcto era orar solamente a Dios. Esa era una ley escrita por Dios y dada a Moisés muchos años atrás. Daniel sabía que una ley era mala si es que hacía que la gente rompiera las buenas leyes de Dios.

Ahora, Daniel tenía que tomar una decisión importante. Él podría seguir orando a Dios como siempre lo había

hecho. Luego, quizás tendría que pasar la noche con los leones. Daniel no tenía que imaginarse lo que los hambrientos leones podían hacerle. Ó Daniel podría simplemente obedecer la ley del rey. Luego, él tendría que dejar de orar a Dios y adorar al rey. Quizás podría fingir orar a él, pero sin realmente sentirlo en su corazón.

¿Qué hizo Daniel? Él siguió orando a Dios diariamente. Él no solamente oró una vez por día, ni dos veces por día. Él oró ¡tres veces por día! y no intentó ocultarse cuando oraba. De hecho, él oraba junto a una ventana abierta donde ¡todos podían verlo!

Por supuesto que los otros siervos del rey vieron a Daniel. Y por supuesto, ellos fueron a decirle al rey lo que vieron. El rey se puso muy triste. Él no quería realmente dejar que los leones hirieran a Daniel. Él trató de pensar en alguna manera de salvar a su amigo, pero la ley que él había firmado no podía ser cambiada. Así es que los otros siervos agarraron a Daniel. Al ponerse el sol, ellos lo metieron en la cueva con los leones.

El rey no pudo dormir nada esa noche. Él se preguntaba cómo le estaría yendo a Daniel. Tan pronto como amaneció, el rey corrió lo más rápido que pudo hacia la cueva. Él llamó: "Daniel, ¿pudo Dios salvarte de los leones?"

El rey miró dentro de la cueva. Luego, se frotó los ojos y miró nuevamente. Allí estaba Daniel con los leones hambrientos, y él ¡no había sido herido por ninguno de ellos!

"Dios envió un ángel", dijo Daniel. "Él cerró las bocas de los leones para que no me hicieran daño. Dios sabía que yo no había hecho nada malo".

¡Qué alegría sintió el rey al saber que Daniel estaba bien! Dios también estaba alegre. Daniel había obedecido las leyes de Dios. Eso era lo correcto y eso era lo que Daniel quería hacer.

Recordemos juntos

¿Por qué hizo el rey una nueva ley?
¿Por qué era la nueva ley una ley mala?
¿Daniel tomó buena decisión o una mala decisión?
¿Qué tipo de animal había en la cueva? ¿Cómo cuidó Dios a Daniel?

Piensa en TUS decisiones

¿Cuáles son algunos momentos en los que Dios quiere que tú le hables? ¿Es alguna vez difícil orar a Dios? ¿Alguna vez te olvidas de orar? ¡Le puedes pedir a Dios que te ayude a recordarlo!

Actividad

Daniel oró y Dios lo mantuvo a salvo de los leones hambrientos. Haz una actuación de las maneras en que Dios puede mantenerte a salvo cuando tú oras (haz como que paseas en bicicleta, huyes de un perro bravo, etc.)

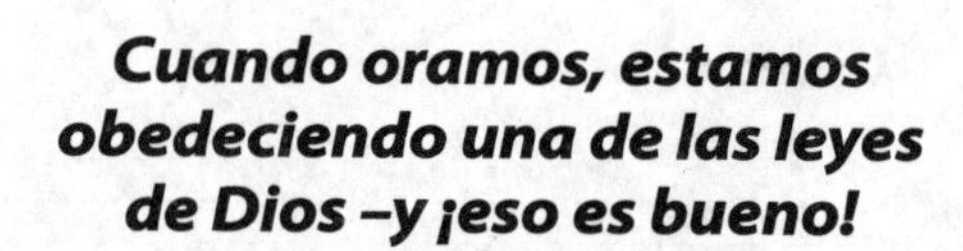

Cuando oramos, estamos obedeciendo una de las leyes de Dios –y ¡eso es bueno!

Oremos juntos

Querido Dios, ayúdanos siempre a elegir obedecer
Tus leyes y amarte más que a nada.
En el nombre de Jesús. Amén.

Viajando en un pez

Jonás **1-2**

DECISIÓN: ¿Jonás quiere ser el ayudante de Dios? O ¿Él trató de escapar?

Dios le dijo a Jonás, "Tengo un trabajo para que hagas. Quiero que ayudes a la gente en la ciudad de Nínive. Ellos están haciendo muchas cosas equivocadas. Yo quiero que ellos me amen y me obedezcan. Quiero que se amen entre ellos también".

Ahora, Jonás tenía que tomar una decisión muy importante. Él podría ir a Nínive y hacer lo que Dios le dijo. La gente de Nínive quizás no quisiera verlo, pero él estaría haciendo lo que Dios quería que él haga. O Jonás podría decirle que no a Dios. Podría decidir que no quería hacer este trabajo.

¿Qué hizo Jonás? ¡Decidió huir! Él corrió hacia el mar y se metió en un barco. No va a ningún lugar cerca de la ciudad de Nínive. Iba en la dirección opuesta. Quizás Jonás pensó que Dios no lo encontraría si es que se iba mar adentro. Pero Dios sabía exactamente dónde se encontraba Jonás.

Dios envió una gran tormenta con vientos fuertes; grandes olas golpeaban contra el barco. Los otros hombres nunca habían visto una tormenta tan grande como esta. Jonás sabía que Dios había enviado la tormenta. Y Jonás sabía lo que él tenía que hacer.

Jonás le dijo a los otros hombres: "He estado huyendo de Dios. Así es que Él envió la tormenta. Si me tiran al mar, la tormenta se detendrá".

Los hombres no querían hacerlo, pero sabían que tenían que hacerlo, así es que lo hicieron. La tormenta se detuvo de inmediato y todos los hombres en el barco estuvieron a salvo.

Pero Jonás no sabía lo que iba a pasarle a él. Él sólo podía ver agua y todo tipo de peces extraños –pequeños peces morados, peces amarillos de tamaño mediano, y un pez enorme. Era tan grande que se tragaba otros peces enteros. Era tan grande que ¡se tragó a Jonás entero!

Ahora, Jonás estaba dentro del pez, y él empezó a orar. Él sabía que Dios había enviado a ese gran pez para salvarlo. Así es que él le agradeció a Dios y le prometió obedecerle.

¿Qué sucedió después? El pez nadó hacia la orilla; abrió su boca y salieron todo tipo de pequeños peces. Jonás también salió, justo encima de la arena de la playa. ¡Jonás estaba tan contento!

Una vez más, Dios le pide a Jonás que vaya a Nínive. Esta vez Jonás sabía de inmediato la decisión que iba a tomar. Él obedecería a Dios e iría a Nínive.

La gente de Nínive escuchó a Jonás. Ellos se arrepintieron por las cosas malas que estaban haciendo. Ellos decidieron cambiar la manera en que vivían. Ellos se amarían uno al otro y amarían a Dios más que a nada.

Dios estaba contento de que Jonás finalmente le obedeciera y que se volviera Su siervo. Dios estaba feliz de que la gente de Nínive quisiera amarlo y obedecerle también.

Recordemos juntos

¿Adónde quería Dios que fuera Jonás?

¿Jonás tomó una buena decisión o una mala decisión?

Después que Jonás salió del pez, ¿qué tipo de decisión tomó? ¿Qué hizo la gente de Nínive cuando escuchó a Jonás?

Piensa en TUS decisiones

Quizás no quieres obedecer a Dios algunas veces. Quizás no quieras orar. Quizás no tengas ganas de ser amable. O quizás no quieras obedecer a tus padres. ¿Qué cosas tristes suceden en esos casos?

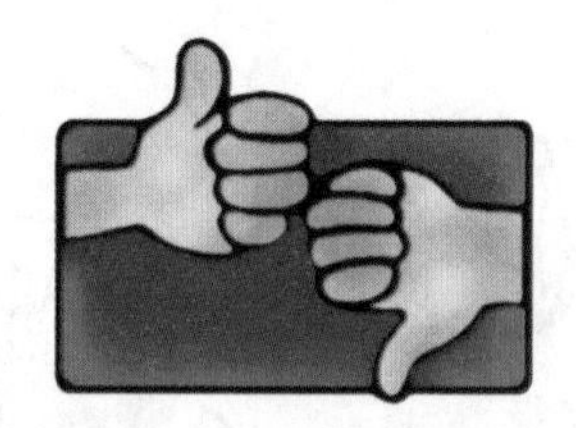

Actividad

A la hora de ir a la cama, escóndete bajo las cobijas. Así de oscuro estaba dentro del pez. Sacude la cama y finge que el pez está nadando. Ahora, tira las cobijas para atrás. ¡Qué bueno estar en la luz nuevamente! Obedecer a Dios es como estar en la luz, donde estamos seguros y felices.

Obedecer a Dios es mejor que huir de hacer lo bueno.

Oremos juntos

Querido Dios, ayúdanos a no huir de hacer lo bueno. En el nombre de Jesús. Amén.

El sorprendente plan de Dios

Lucas 1:26-50

DECISIÓN: ¿Acepta María hacer lo que Dios quiere? O ¿Ella no quiere ser parte de Su plan?

María vivía en el pequeño pueblo de Nazaret. Ella le traía agua del pozo a su mamá, igual que otras muchachas. También aprendió a cocinar y a coser. María era amable con los animales y siempre les daba migajas de pan a los pájaros. María creció y ¡se iba a casar! Su esposo sería José. Él tenía una carpintería y hacía todo tipo de lindos

muebles. ¡Qué bonita casa tendría María! María empezó a pensar sobre su matrimonio y la gran fiesta que tendría para celebrarlo.

Mientras María barría el piso una mañana, un extraño apareció en la habitación. Sus ropas eran tan blancas que parecían brillar. María nunca antes había visto a alguien como él. Ella tenía miedo.

El extraño era en realidad un ángel. Su nombre era Gabriel y Dios lo había enviado.

El ángel dijo: "No temas, María. Traigo buenas noticias para ti".

Quizás María pensó que las buenas noticias eran acerca de José o de su matrimonio.

El ángel dijo: "Dios está listo para enviar al Salvador al mundo. Él les dirá a todos acerca del amor de Dios. Dios quiere que tú seas la madre de este bebé tan especial. Él quiere que al bebé lo llames Jesús".

María estaba confundida. Ella dijo: "No puedo tener un bebé. No me he casado con José todavía". El ángel dijo: "Este bebé será el Hijo de Dios. Él salvará a la gente de sus pecados".

Ahora María tenía que tomar una decisión importante. Ella podría aceptar hacer lo que Dios quería. Entonces, tendría que creer que Dios la cuidaría, aún si José no entendiera. Ó le podría decir al ángel que no quería ser parte del plan de Dios. Él tendría que encontrar a otra mamá para este bebé.

¿Qué hizo María? Ella le dijo al ángel: "Me agrada hacer lo que Dios pide".

Después de que el ángel se fue, María fue a visitar a su prima Elizabeth. De inmediato, Elizabeth supo que había algo muy diferente. Ella sabía que María iba a tener un bebé muy especial.

María cantó una canción. Ella cantó: "Mi corazón está lleno de alabanza a Dios. Él está haciendo algo maravilloso. Él enviará un bebé al mundo y me ha elegido a mí para ser la madre de ese bebé".

A Dios le complacía que María quisiera ser parte de este plan. Ella haría lo que Él le pidiera que hiciera. Ella sería la madre de Su hijo, el niño Jesús.

Recordemos juntos

¿Con quién se iba a casar María?

¿Qué le dijo el ángel que Dios quería que ella hiciera?

¿María tomó una buena decisión o una mala decisión? ¿Qué hizo María después de que el ángel se fue? ¿Cómo se sentía María sobre el plan de Dios para ella?

Piensa en TUS decisiones

¿Qué es lo que Dios desea que tú hagas? Dios quiere que obedezcas a tus padres y a tus maestros.

Él quiere que tú aprendas nuevas cosas y quiere que seas amable. ¿Harás tú lo que Dios quiere que tú hagas?

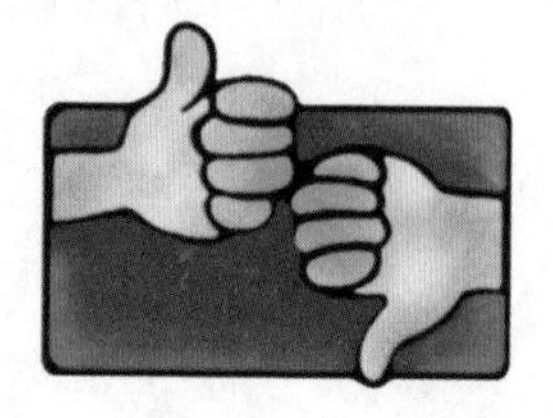

Actividad

Haz un dibujo sobre algo que tú hiciste hoy que Dios quería que tú hicieras. Mientras dibujas, piensa sobre lo que Dios querría que tú hicieras cuando crezcas.

Dios se alegra cuando seguimos los planes que Él tiene para nosotros.

Oremos juntos

Querido Dios, queremos obedecerte y hablarte a Ti todos los días. Queremos que nos muestres Tus planes para nosotros. En el nombre de Jesús. Amén.

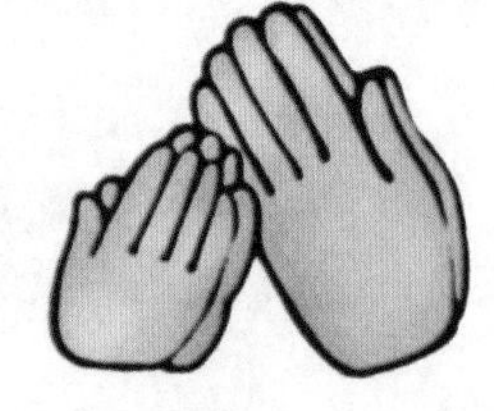

Cuidando a María y a Jesús

Mateo ***1:18-25***

DECISIÓN: ¿José cuida a María y a Jesús? O ¿Él no hace lo que Dios quiere?

José tenía una carpintería en Nazaret. Él tenía una sierra y martillos. Todos los días hacía cosas de madera para otras personas. A veces hacía mesas y bancas; a veces él arreglaba las herramientas de los agricultores. José estaba muy ocupado y muy contento.

Él estaba especialmente contento ahora porque se iba a casar. Él sabía que María era amable y servicial.

¡Qué bonito sería poder compartir con ella su casa! José pensaba acerca de la mesa que él haría para su propia casa y su propia esposa.

Un día María vino con ¡noticias sorprendentes para José! María le dijo que un ángel había venido a visitarla. Luego le dijo que ella iba a tener un bebé. José no sabía qué pensar. Él no sabía qué decir.

De camino a casa, José quizás pensó sobre todos los planes que él había hecho. Él había planeado que María sería su esposa y también planeó que ellos tendrían hijos. Pero ahora...

Esa noche, José estaba completamente solo en su pequeña casa. Él pensaba que ya no podría casarse con María ahora. Al ir él a la cama debió haber sentido que todas sus esperanzas se habían perdido.

Pero José tuvo un sueño aquella noche. Un ángel le habló a José en su sueño. El ángel tenía un mensaje importante de Dios. El ángel dijo: "No temas casarte con María. No temas cuidarla a ella y al bebé. El niño que María tendrá es el Hijo de Dios. Llámalo Jesús. Él salvará a Su pueblo de sus pecados".

José despertó con un sobresalto, justamente cuando el sol salía.

Ahora, José tenía que tomar una decisión importante. Él podría tomar a María para que fuera su esposa y podría

criar al niño Jesús, sabiendo que Él era el Hijo de Dios. O él podría enviar calladamente a María a otro pueblo. Él podría dejar que ella sola criara al bebé. Después de todo, él sólo era un carpintero. Cuidar de este bebé especial sería una tarea demasiado importante.

¿Qué hizo José? Se vistió rápidamente y probablemente corrió todo el camino hasta la casa de María. Él le dijo a ella

acerca del sueño y del ángel. Él le prometió cuidar de María y del bebé.

Así es que María y José siguieron con sus planes de casarse. Juntos vivirían en la pequeña casa donde estaba la carpintería. Juntos criarían al bebé Jesús.

Dios estaba contento de que José iba a cuidar de María y del bebé. Dios sabía que Su hijo, Jesús, estaría seguro con José.

Recordemos juntos

¿¿Qué tipo de trabajo hizo José?

¿José estaba contento de casarse?

¿Cuáles eran las noticias sorprendentes que María tenía para él?

¿Qué es lo que el ángel dijo en el sueño de José?

¿José tomó una buena decisión o una mala decisión?

Piensa en TUS decisiones

¿Cuáles son algunos de las tareas que Dios les da a los diferentes miembros de tu familia? ¿Tus tareas parecen demasiado difíciles a veces? Recuerda que si Dios quiere que tú hagas algo, ¡Él te ayudará a hacerlo!

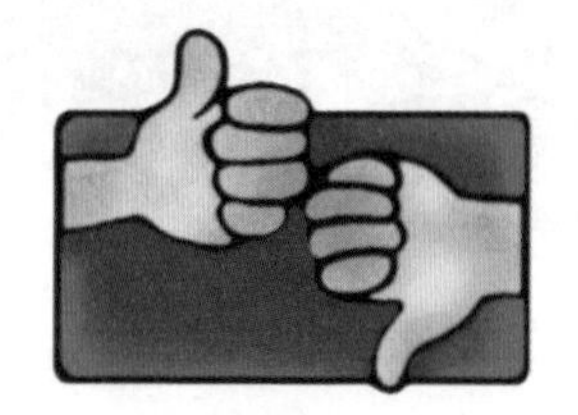

Actividad

Decide llamar a alguien que ha cuidado de un miembro de tu familia en el pasado; un abuelo, una niñera, una maestra; solamente para darle las gracias.

Dios siempre ayudará a las personas a hacer las tareas que Él les encarga hacer.

Oremos juntos

Querido Dios, gracias por todas las personas que envías a cuidar de nosotros. Gracias también por las tareas que nos das para hacer. En el nombre de Jesús. Amén.

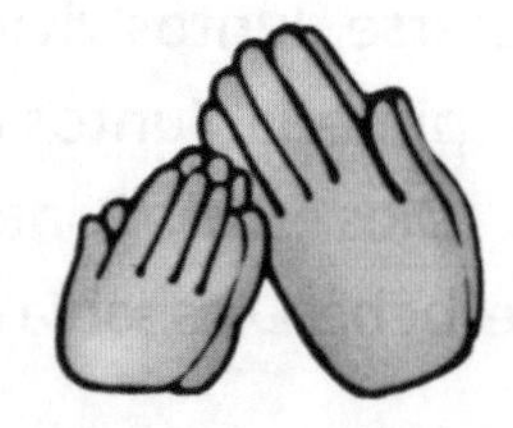

"No tengan temor"

Lucas 2:8-20

DECISIÓN: ¿Les creen los pastores a los ángeles?

Los pastores en las colinas en las afueras de Belén cuidaban a sus ovejas todo el día, y ellos también veían otras cosas. Ellos vieron a un soldado romano pasar en su caballo veloz hacia Belén. Los pastores sabían que él venía a contar a todas las personas que habían nacido allí. Y todo el día ellos observaron a las personas que regresaban a su ciudad para ser contados.

Tarde aquel día, una pareja cansada llegó por el camino arriba hacia el pueblo. La mujer montaba un burro pequeño, y el hombre se veía preocupado. En la noche, había venido tanta gente, que parecía como si las paredes alrededor del pueblo fueran a reventar. Los pastores se preguntaban dónde dormiría toda esa gente. No había suficientes camas en Belén. Quizás por eso se veía preocupado el hombre cansado.

Al llegar la noche, los pastores contaron a todas sus ovejas. Luego, se acomodaron para pasar la noche.

Era una noche callada en el campo donde estaban las ovejas. Los pastores hablaban bajito sobre el clima. Cenaron y pusieron ramas sobre el fuego para mantener alejados a los lobos. Las ovejas durmieron en la ladera de la colina y algunos de los pastores durmieron también.

De repente, ¡una luz brillante llenó el cielo! Puede que haya sido el pastor más joven, el que la vio primero y

despertó a los demás. Todos miraron fijamente mientras que la luz se hacía cada vez más brillante. Pronto, ellos pudieron ver a un ángel. El cielo estaba tan claro ahora, que la noche ya no estaba oscura. ¿Qué querría decir esto? Los pastores se levantaron las capuchas de sus túnicas. Quizás algunos hasta se escondieron detrás de las piedras.

El ángel tenía un mensaje importante: "No teman, tengo buenas noticias para todos. El Salvador ha nacido en Belén. Pueden ir a ver. Sólo busquen a un bebé recién nacido envuelto en pañales. Lo encontrarán durmiendo con los animales".

De pronto, todo el cielo ¡se llenó de ángeles! Todos ellos alabando a Dios, diciendo:

"¡Gloria a Dios!"

Luego, así tan rápido como aparecieron, también desaparecieron. No había ángeles, no había alabanza en el cielo, y no había luz brillante. Solamente había ovejas y pastores con sueño; quizás algunos miraban, asomándose escondidos detrás de las piedras. El pastor más joven se preguntaba qué iban a hacer ellos.

Ahora, los pastores tenían que tomar una decisión importante. Ellos podrían creer a los ángeles y hacer lo que los ángeles dijeron. Podrían ir a Belén y buscar a un bebé durmiendo con los animales. O podrían actuar como si esa noche fuera como cualquier otra noche. Podrían quedarse, vigilar a las ovejas y hacer de cuenta que los ángeles nunca vinieron.

Esto es lo que hicieron: ellos se hablaron unos a otros con voces llenas de emoción. Sabían que los ángeles habían venido de Dios. Así es que dijeron: "Vayamos a Belén y busquemos al bebé. Veamos con nuestros ojos lo que Dios nos ha dicho". Ellos probablemente escogieron a uno o dos pastores para que se quedaran a vigilar a las ovejas. El resto de ellos corrieron a Belén tan pronto como pudieron. El pastor más joven corrió con ellos.

Encontraron un pequeño establo que tenía animales en él. Un hombre, una mujer, un bebé recién nacido también estaban en el establo. Todo fue exactamente como lo dijo el ángel.

Los pastores entraron en puntas de pie y miraron al bebé. Era un bebé hermoso, durmiendo plácidamente.

Cuando llegó el momento de irse, los pastores estaban demasiado emocionados para regresar de inmediato

donde sus ovejas. En lugar de eso, ellos le dijeron a todos los que encontraron en el camino, acerca de los ángeles y de las noticias maravillosas: ¡Jesús el Salvador del mundo había nacido!

Dios estaba feliz porque los pastores les creyeron a los ángeles. Él estaba contento de que los pastores fueran los primeros en encontrar a Su hijo, el bebé Jesús.

Recordemos juntos

¿Qué estaban haciendo los pastores?
¿Qué les dijo el ángel que hicieran?
¿Los pastores tomaron una buena decisión o una mala decisión? ¿A quién encontraron durmiendo con los animales?

Piensa en TUS decisiones

Dios nos dice en la Biblia que ¡Jesús está con nosotros todo el tiempo! ¿Creerás eso? ¿Le dirás ahora mismo que Lo amas?

Actividad

Ponte una bata de baño y sandalias. Saca bolas de algodón como si fueran ovejas y una linterna como si fueran los ángeles brillantes. Diviértete jugando a ser los pastores.

Nosotros podemos creer lo que la Biblia dice sobre Jesús, así como los pastores le creyeron al ángel.

Oremos juntos

Querido Dios, gracias por enviar a Jesús al mundo ¡por los pastores y por nosotros!
Ayúdanos a creer que Tú estás con nosotros y que podemos hablar contigo en cualquier momento. En el nombre de Jesús. Amén.

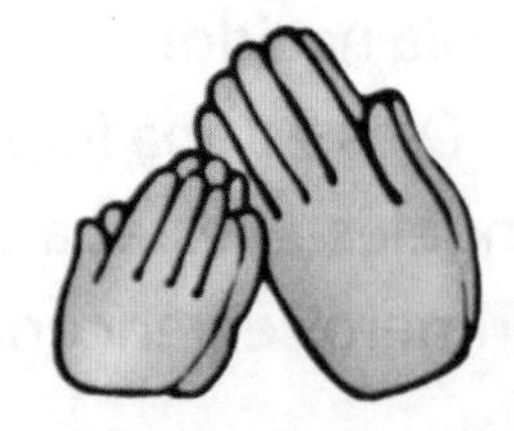

La nueva estrella

Mateo ***2:1-11***

DECISIÓN: ¿Creen Los Reyes Magos que Dios los guiará?

Jesús nació en el pequeño pueblo de Belén. No mucha gente sabía sobre el pueblo ni sobre el bebé. Pero, allá lejos al Este, reyes magos sabían que había sucedido algo maravilloso.

Esos hombres observaban las estrellas todas las noches. Una noche ellos vieron a una estrella, más brillante y más hermosa que cualquier otra, y supieron que un nuevo rey había llegado. Él sería el rey de todas las personas, aun de los reyes magos que vivían lejos.

La estrella era nueva, y apareció en el cielo occidental. Eso es todo lo que sabían los reyes magos. Ellos no sabían el nombre del rey ni dónde encontrarlo.

Ahora, esos reyes magos tenían que tomar una decisión importante. Ellos podrían viajar en dirección a la estrella. Luego, tendrían que confiar en que Dios los guiaría hasta el nuevo rey.

O ellos podrían quedarse en sus casas y seguir estudiando las estrellas. Escribir acerca de la nueva estrella que vieron, pero sin llegar a saber quién era el nuevo rey.

Esto es lo que sucedió. Los hombres se prepararon para el largo viaje y empacaron todo lo que necesitaban. Ellos llevaron comida, ropa y regalos; grandes regalos para un rey importante.

Vieron la estrella en el Oeste, y viajaron hacia allá.

Tomó un largo tiempo encontrar al rey. Ellos durmieron durmieron durante el día y siguieron la estrella durante las noches. La estrella parecía moverse en el cielo, guiándolos hacia el rey.

Cuando los magos vinieron a Jerusalén, pensaron que un rey nacería seguramente en una gran ciudad como ésa. Así es que preguntaron: "¿Dónde está el nuevo rey? Seguimos Su estrella todo el camino hasta aquí".

El rey Herodes no sabía dónde estaba el pequeño rey. Él llamó a sus hombres más sabios, y ellos buscaron en todos sus pergaminos. Finalmente dijeron: "Él está en Belén".

El rey Herodes habló con los reyes magos sobre la estrella. Luego les dijo que buscaran al pequeño niño en Belén.

Los magos salieron. Una vez más, la estrella viajaba delante de ellos, guiándolos hacia Belén.

Allí, en una pequeña casa, encontraron a Jesús con su mamá, María.

Cuando ellos lo vieron, los reyes magos lo adoraron. Luego, ellos le mostraron los regalos que habían traído. Era oro brillante, suave perfume y especias especiales.

Los reyes magos le dijeron a María todo acerca de la estrella maravillosa y de su largo viaje para encontrar al pequeño rey.

Dios estaba feliz de que los reyes magos quisieran ver a Jesús. Dios estaba contento de que ellos hubieran seguido la estrella que Él puso en el cielo. ¡Jesús sería Su rey!

Recordemos juntos

¿Qué vieron los reyes magos en el cielo? ¿Qué buena decisión tomaron los reyes magos? ¿Adónde los guió la estrella? ¿Qué hicieron cuando encontraron a Jesús?

Piensa en TUS decisiones

Quizás no tengamos una estrella a la cual seguir, pero siempre podemos orar para que Dios nos guíe. ¿Seguirás a Dios dondequiera que Él desee que tú vayas?

Actividad

En una noche clara, mira las estrellas con alguien de tu familia. Hay muchas de ellas, ¿verdad? ¿Cómo pudieron los reyes magos haber visto una nueva? Dios debe haberles ayudado a encontrarla.

Podemos decidir seguir a Dios adondequiera que nos guíe.

Oremos juntos

Querido Dios, gracias por enviar tu estrella para guiar a los reyes magos a Tu hijo.
Ayúdanos a decidir seguirte a Ti también. Más que todo, queremos adorar a Tu Hijo, Jesús, así como lo hicieron los reyes magos. En el nombre de Jesús. Amén.

Dejen el pez

Marcos 1:16-20

DECISIÓN: ¿Pedro, Andrés, Santiago y Juan siguen a Jesús? O ¿Continúan pescando?

Era muy temprano en la mañana, cuando el sol se levantaba. Algunos botes pesqueros estaban afuera en el Mar de Galilea. Los pescadores habían estado pescando toda la noche. En un bote había dos hermanos, Pedro y Andrés. En otro bote había otros hermanos, Santiago y Juan. Los cuatro hombres habían sido pescadores por largo tiempo, e iban seguido a pescar toda la noche. Ellos regresaban a la orilla temprano todas las mañanas.

Los hombres pescaban con redes. Ellos ponían una gran red dentro del bote. Luego remaban mar adentro y tiraban la red al agua, sosteniéndola por los extremos. Los peces nadaban adentro de la red y eran atrapados. Cuando había muchos peces en la red, los pescadores tiraban todos los peces dentro del bote. Luego, llevaban los peces a su casa. Ellos mismos comían parte de los peces, pero el resto de los peces lo intercambiaban con otra gente por pan y fruta.

Después que los hermanos tiraban sus redes al agua, tenían que esperar.

A veces, tomaban una siesta. A veces, observaban a las gaviotas volando por encima de sus cabezas. A veces, observaban a la gente en la orilla.

Un día, ellos vieron a un hombre caminando solo por la playa. ¡Era Jesús! Él ya era un hombre adulto. Él llamó a Pedro y a Andrés: "Síganme, y Yo les haré pescar personas". Luego, Él le pidió a Santiago y a Juan que lo siguieran. Los hermanos se miraron el uno al otro. No estaban seguros de lo que quería decir: "pescar personas".

Pero algo hacía que los pescadores sintieran que Dios los llamaba a seguir a Jesús.

Todos ellos lo sintieron, y sabían que era lo que Dios quería que ellos hicieran.

Ahora, Pedro y Andrés; Santiago y Juan tuvieron que tomar una decisión importante. Ellos podrían escuchar a

Dios y Seguir a Jesús. Ó podrían seguir remando sus botes y pescando.

¿Qué hicieron los pescadores? Pedro y su hermano, Andrés, bajaron las redes que estaban sosteniendo. Todos los peces que habían atrapado nadaron de vuelta al mar. Santiago y su hermano, Juan, bajaron las redes también. Los cuatro pescadores remaron y remaron hacia la orilla lo más pronto que pudieron y corrieron a lo largo de la playa hacia Jesús.

Pedro y Andrés; Santiago y Juan prometieron seguir a Jesús y ser sus mejores amigos.

Ellos aprenderían de Él y serían Sus discípulos. Buscarían a personas, en lugar de peces.

Luego, ellos podrían enseñarles a las personas acerca del amor de Dios.

Dios estaba feliz de que Pedro y Andrés; Santiago y Juan quisieran seguir a Jesús.

Él sabía que ellos serían buenos ayudantes.

Recordemos juntos

¿Cuántos hermanos había en cada bote? ¿A quién vieron en la orilla?

¿Qué les pidió Jesús que pescaran? ¿Los cuatro pescadores tomaron una buena decisión o una mala decisión?

Piensa en TUS decisiones

Jesús quiere que tú seas Su ayudante también. Pero primero debes aprender de Él, igual como lo hicieron los pescadores. ¿Cómo aprenderás tú? ¿Cómo ayudarás?

Actividad

Usa témperas de colores para hacer una figura de los botes en el agua. Para que sea más divertido, pásale goma en la parte de abajo de la figura y espolvoréale arena como si fuera la playa. O sino sólo ¡come algunas galletas con forma de pescado!

Podemos decidir ser ayudantes de Jesús también.

Oremos juntos

Querido Dios, Tú nos has llamado a ser ayudantes de Jesús también. Muéstranos lo que podemos hacer. En el nombre de Jesús. Amén.

En el pozo

Juan 4:4-30, 39

DECISIÓN: ¿La mujer en el pozo les dice a sus vecinos acerca de Jesús? O ¿La mujer estás asustada de hablar de Jesús?

Jesús ahora tenía doce ayudantes. Ellos lo siguieron a Él dondequiera que fue.

En una ocasión, Jesús con sus ayudantes viajaban por otra ciudad. Jesús se sentó junto a un pozo fuera de un pequeño pueblo. Mientras Jesús descansaba, los discípulos fueron al pueblo a conseguir comida.

Jesús había estado caminando toda la mañana y tenía sed. Él no tenía una taza para sacar agua del pozo.

Luego, una mujer vino a sacar agua. Era poco usual venir por agua al mediodía cuando hacía tanto calor, pero ella no quería estar en el pozo cuando las otras mujeres llegaran. Ella había hecho algunas cosas de las que se avergonzaba. Así es que no quería ver a otras personas. Pero Jesús era un extraño; Él no sabría lo que ella había hecho. No tenía que esconderse de Él.

Jesús le pidió que le diera de beber. Ella dijo: "¿Por qué me pides eso? A tu pueblo no le gusta mi pueblo".

Jesús le dijo a la mujer que ella no sabía quién era Él. Si lo supiera, ella le pediría ayuda y después de eso ya nunca más necesitaría ayuda.

Entonces Jesús le dijo: "Anda donde tu esposo y tráelo aquí".

La mujer dijo: "Yo no tengo esposo".

Jesús le dijo: "Eso es cierto. Tú has tenido muchos esposos y ahora vives con un hombre que no es tu esposo".

La mujer estaba asombrada. Jesús sabía todas las cosas que ella había hecho, pero Él era el hombre más amable que ella había conocido. Ella sabía que Él era especial.

Jesús y la mujer hablaron acerca de adorar a Dios. Jesús le dijo que Él era el Hijo de Dios, el Salvador del mundo.

Justo en ese momento, los discípulos regresaban al pozo, pero ellos no preguntaron sobre lo que Jesús y la mujer habían estado hablando.

La mujer tenía que tomar una decisión importante. Ella podría contarles a todos sus vecinos sobre Jesús. Por supuesto, eso significaría enfrentar a la gente que ella no quería ver porque se sentía avergonzada. O podría irse a casa y no decir nada sobre Jesús.

¿Qué hizo la mujer? Ella corrió de vuelta al pueblo. Ya no tenía miedo de enfrentar a la gente. A Jesús le importaba ella. Él le había dicho cómo debía adorar a Dios.

La mujer le dijo a todos: "Vengan a conocer a un hombre que sabe todo de mí. Él debe ser el Salvador".

Mucha gente vino a escuchar a Jesús, aun en medio de una día tan caluroso. Ellos estaban contentos de que Él hubiese venido a su pueblo; estaban contentos de que la mujer les hubiese contado acerca de Él.

Dios estaba contento también. Todos en el pueblo supieron sobre Jesús porque la mujer les dio la maravillosa noticia. Así es como la gente se entera de Jesús: ¡alguien tiene que contárselo!

Recordemos juntos

¿Qué le pidió Jesús a la mujer que le diera? ¿Por qué no quería la mujer ver a otras personas? ¿Por qué decidió la mujer hablarles a sus vecinos? ¿La mujer tomó una buena decisión o una mala decisión?

Piensa en TUS decisiones

Qué les puedes contar a tus vecinos sobre Jesús? ¿Puedes tocarles algunas de tus canciones favoritas sobre Jesús? ¿Puedes contarles algo sobre las figuras de las historias en tu Biblia?

Actividad

Al mirar en libros, revistas y catálogos, busca diferentes tipos de personas. ¡Dios las ama a todas ellas! ¿Cómo podemos elegir mostrar amor por los demás?

Jesús quiere que les digamos a nuestros vecinos lo que sabemos sobre Él.

Oremos juntos

Querido Dios, gracias por amarnos aun cuando sabes todo sobre nosotros. Muéstranos maneras en que podamos compartir las buenas nuevas con nuestros vecinos. En el nombre de Jesús. Amén.

Sanidad a larga distancia

Mateo 8:5-13

> **DECISIÓN:** ¿Un líder del ejército Romano confía en el poder de Jesús a la distancia? O ¿Él piensa que Jesús tiene que estar allí mismo?

A todos los lugares donde fue Jesús, le dijo a la gente acerca del amor de Dios. Él además sanó enfermos sólo con tocarlos.

La gente escuchó sobre el poder y amor de Jesús. Así es que venían a Jesús para ser sanados. Ellos vinieron de lejos. Ellos fueron a cualquier pueblo donde Jesús se encontrara. Muchas veces casi ni se podía mover debido a la inmensa multitud que lo rodeaba.

Un día un líder del ejército romano vino a ver a Jesús.

El líder tenía un ayudante en su casa. A él le importaba grandemente su ayudante. Este ayudante estaba enfermo, y nadie podía hacerlo sentir mejor. Él estaba demasiado enfermo como para que lo movieran al lugar donde Jesús estaba. Así es que el líder del ejército fue al lugar donde estaba Jesús. El líder quizás había escuchado muchas historias acerca de Jesús haciendo sentir bien a la gente. Jesús usualmente le preguntaba al enfermo lo que deseaba. Luego, los tocaba y los sanaba.

El hombre le dijo a Jesús: "Tengo un ayudante enfermo en mi casa. Él está en cama y no se puede mover. Le duele por todos lados".

Jesús dijo: "Iré a tu casa. Yo sanaré a tu ayudante".

Ahora, el líder del ejército romano tenía que tomar una decisión importante. Él podría hacer que Jesús deje a la multitud a la que estaba ayudando. Podría hacer que Jesús vaya con él a su casa así como Jesús le había prometido. Quizás no era demasiado tarde para que el ayudante fuera sanado. O él podría confiar en que Jesús podía sanar al ayudante, sin siquiera ir a su casa.

Esto es lo que el líder del ejército romano le dijo a Jesús: "Yo no soy lo suficientemente bueno como para que Tú vayas a mi casa. Si sólo dices que mi ayudante será sano, yo sé que lo será. Yo lo sé porque soy líder de un ejército.

Cuando yo les digo a mis hombres que marchen, ellos marchan. Yo creo que Tú tienes el poder para sanar a la gente. Si Tú dices que mi ayudante sanará, sé que eso sucederá".

Jesús dijo: "¡Qué gran fe tienes! Anda. ¡Tu ayudante está bien!"

El líder del ejército regresó a su casa tan pronto como él pudo. Allí estaba su ayudante, listo para trabajar de nuevo. ¡Él ya no estaba enfermo! ¡Él sanó en el momento en que Jesús dijo que sucedería!

Jesús se alegraba de que el líder del ejército tuviera mucha fe en Su poder. Él se alegraba de que pudiera nuevamente hacer sentir bien al ayudante de ese hombre.

Recordemos juntos

¿Qué es lo que el líder del ejército creía que Jesús podía hacer? ¿El líder del ejército tomó una buena o mala decisión? ¿Qué pasó con el ayudante?

Piensa en TUS decisiones

No podemos ver a Jesús hoy, pero todavía podemos creer en Su poder. ¿Quién necesita la ayuda de Jesús? ¿Creerás que Él puede ayudar, aún si no lo hace de inmediato?

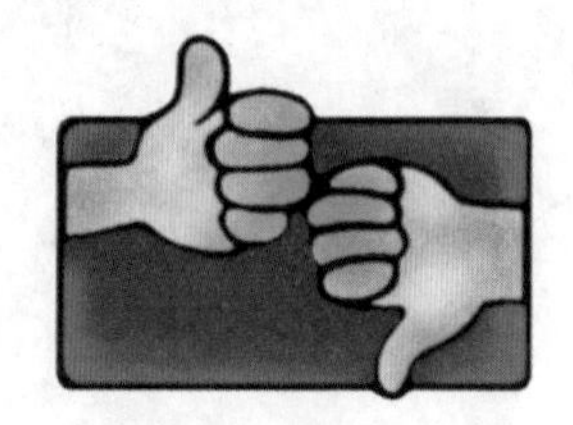

Actividad

Empieza un juego de larga distancia. Desde otra habitación, ordena cosas: salta, marcha, pon cara graciosa. Luego, di "abraza" y ¡corre a abrazar a alguien! Después de que recibas tu abrazo, ora por alguien que está lejos y que necesita un "abrazo" de Jesús.

Podemos creer que en el poder de Jesús ayudará a la gente que está cerca y muy lejos también.

Oremos juntos

Querido Dios, mantén a toda nuestra familia sana y segura. Estate con aquellos a los que amamos, que están cerca y aquellos que están lejos. En el nombre de Jesús. Amén.

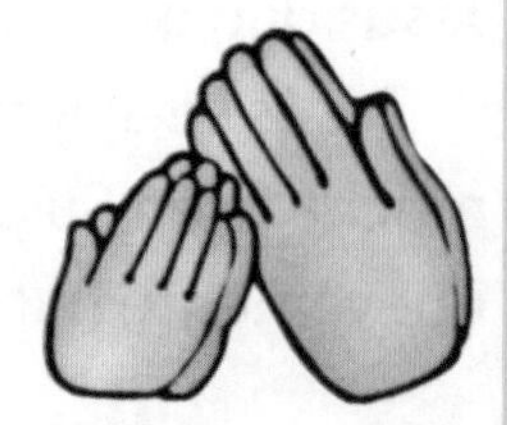

Ayudando a otros

Mateo ***12:9-14***

> **DECISIÓN:** ¿Jesús decide ser bueno y servicial? O ¿Él sigue leyes que no muestran amor ó cuidado?

Jesús conocía todas las leyes de Dios y las obedeció todas porque Él amaba a Dios, su Padre celestial. Pero la gente había hecho otras leyes. Algunas de estas leyes no eran justas ni útiles.

A menudo eran usadas para engañar a la gente.

Un día, Jesús y sus discípulos estaban en un lugar de adoración llamado una sinagoga. Era el día de descanso. Este era un día para que la gente alabara a Dios y le agradeciera por todos sus regalos.

Eso era lo que justamente Jesús y sus discípulos estaban haciendo.

En la sinagoga, Jesús vio a un hombre con una mano que no podía usar. Él no podía ni escribir ni trabajar ni aun vestirse. Jesús quería ayudar a este hombre, pero la ley que la gente había creado decía que Él no podía hacerlo. Ayudar al hombre sería trabajo y nadie debía trabajar en el día de descanso.

Ahora Jesús tenía una decisión importante que tomar. Jesús sabía que, una manera de agradar a Dios, Su Padre, es siendo amable y ayudador de los demás. Así es que Jesús podría sanar la mano del hombre, pero Él estaba justo en la sinagoga donde la gente estaba adorando a Dios. Eso quería decir que ciertamente alguien podría notarlo y no le gustaría. La otra opción de Jesús era esperar y ayudar al hombre otro día, pero si Él esperaba, el hombre podría haberse ido.

¿Qué hizo Jesús? Él habló con los líderes de la sinagoga que querían detenerlo. Jesús les preguntó a los líderes: "¿Qué pasaría si tienen una oveja que ha caído en un hueco? Ustedes la sacarían del hueco el día de descanso, ¿no es así? La gente es más importante que las ovejas. Así es que, está bien ayudar a alguien en el día de descanso."

Jesús le dijo luego al hombre: "Estira tu mano". ¡Su mano quedó sana de inmediato!

Dios estaba contento de que Jesús hubiese sanado al hombre. Esa era una buena manera para Jesús de alabar a Su Padre en el cielo.

Recordemos juntos

¿Qué día era cuando Jesús fue a la sinagoga? ¿Qué era lo que Jesús quería hacer por alguien? ¿Por qué los líderes no querían que Jesús ayudara? ¿Jesús tomó una buena decisión o mala decisión?

Piensa en TUS decisiones

Cuál es el día especial para adorar a Dios? Puedes mostrarle tu amor a Dios yendo a la iglesia.
¿Puedes mostrarle amor a Dios ayudando a otro también?

Actividad

Aquí hay algo que puedes hacer la próxima vez que estés en el auto yendo a la iglesia.
Haz planes para hacer algo amable y útil. Quizás puedas visitar a una persona mayor o hacer una tarjeta para alguien que está enfermo.

Podemos alabar a Dios en este día especial siendo amables y útiles.

Oremos juntos

Querido Dios, muéstranos maneras amables y útiles para hacer en Tu día especial. Queremos mostrarte que Te amamos. En el nombre de Jesús. Amén.

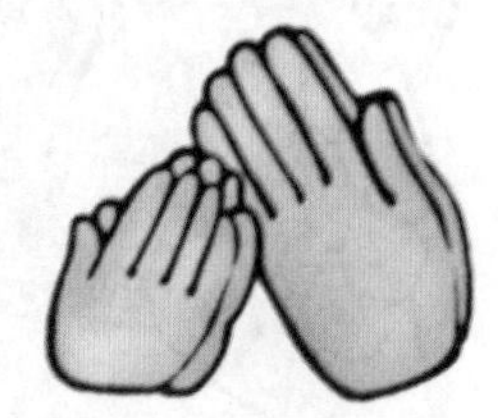

"¡Yo primero!"

Marcos 9:33-37

DECISIÓN: ¿Los discípulos se ayudan unos a otros? O ¿Discuten acerca de quién es el más importante?

Los discípulos pasaban juntos la mayor parte del tiempo; comían juntos y viajaban juntos.

Ellos eran una especie de gran familia. Escuchaban a Jesús y ayudaban a que otros conocieran del amor de Dios. La mayor parte del tiempo eran buenos amigos y se interesaban el uno por el otro.

Pero, a veces, como en la mayoría de las familias, se olvidaban todas las cosas que Jesús les había enseñado. Se olvidaban de compartir y de ser amables. A veces, se olvidaban de amar.

Un día los discípulos iban conversando mientras caminaban hacia el siguiente pueblo. Quizás hablaban sobre el clima. Quizás trataban de recordar las historias que Jesús les había contado más temprano ese día. De pronto, uno de los discípulos les dijo a los otros que él era el favorito de Jesús. Él les dijo que iba a ser el discípulo número uno de Jesús.

Los otros discípulos se enojaron. Ahora tenían que tomar una decisión importante. Ellos podrían recordarle a su amigo de manera amable, que todos eran importantes para Jesús. Luego, podrían hacer cosas para ayudar a otros.

O todos ellos podrían empezar a discutir. Cada uno podría decir que él era el que le agradaba más a Jesús. Cada uno podría decir que él iba a ser el más importante para Jesús.

¿Qué hicieron? Empezaron a discutir. Un segundo discípulo dijo que él era el más importante.

Jesús le había pedido que hiciera cosas especiales. Otro gritaba, diciendo que él había conocido a Jesús más tiempo que los demás, así es que él era el más importante. Otro dijo que él era el más viejo, así es que él era el más importante. Todavía hubo otro que dijo que Jesús conocía a su madre. Y así siguieron y siguieron, peleando y discutiendo.

Finalmente, Jesús les pidió a sus discípulos que le contaran de qué habían estado hablando. Ninguno de los doce hombres dijo algo. Ellos temían que Jesús sabía todo lo que ellos habían dicho. ¡Y así fue!

Jesús les dijo a sus discípulos: "Yo sé que ustedes quieren ser importantes; pero, si quieren ser importantes para mí, ustedes deben ayudar a todos".

Él levantó a un niño pequeño y dijo: "Cada uno de ustedes debe ser amable a niños como este.

Si ustedes son amables con un niño, es igual a ser amables conmigo. Y ser amables conmigo, es igual a ser amables con Dios, mi Padre en el cielo".

Los discípulos se sintieron tristes porque sabían que Jesús no quería que ellos discutieran.

Ellos sabían que Él quería que ellos ayudaran a otros y pusieran a otros en primer lugar.

Hasta tenían que ayudarse unos a otros y a los niños pequeños.

Dios quería que los discípulos se cuidaran los unos a los otros, y Él no dejó de amarlos cuando ellos discutieron acerca de quién era el mejor. El Hijo de Dios, Jesús, les perdonó y les mostró cómo ser mejores ayudantes.

Recordemos juntos

¿¿De qué discutían los discípulos?

¿Los discípulos tomaron una buena decisión o una mala decisión? ¿Qué aprendieron los discípulos sobre ser importante para Jesús?

Piensa en TUS decisiones

¿Puedes tú ser importante para Jesús? ¿Quiénes son algunas personas a quienes puedes ayudar?

Quizás todos en tu familia pueden trabajar juntos para ayudar a alguien. ¡Ustedes se pueden ayudar unos a otros también!

Actividad

Prepara una nota y colócala sobre el refrigerador que diga: "Soy amigo de Jesús, puedo ayudar a otros haciendo_______________".

Deja espacio para escribir palabras o dibujar figuras sobre las maneras de ayudar a otros.

Ayudar a otras personas es mejor que tratar de actuar como alguien importante.

Oremos juntos

Querido Dios, perdónanos por pensar que nosotros somos más importantes para Ti, que cualquier otra persona. Tú nos amas a todos de la misma manera y ¡quieres que nos ayudemos unos a otros!

Gracias. En el nombre de Jesús. Amén.

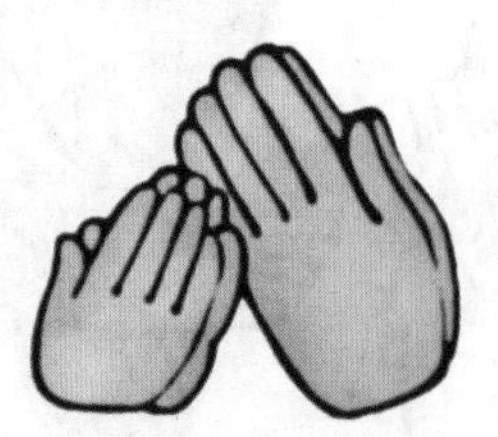

Jesús ama a los niños

Mateo 19:13-15

DECISIÓN: ¿Permiten los discípulos de Jesús que los niños vengan a Él? O ¿Los discípulos tratan de impedir que los niños se acerquen?

En un hermoso día de primavera, un hombre vino corriendo al pueblo con noticias maravillosas.

¡Jesús venía al pueblo! Y ¡podría llegar ese mismo día!

Todos los padres en el pueblo, probablemente se pusieron a trabajar duro. Ellos habrían limpiado el camino quitando rocas y ramas. Quizás hicieron un asiento cómodo para que Jesús se sentara. Luego, esperarían vigilantes a la llegada de Jesús.

Todas las madres probablemente estaban muy ocupadas también. Ellas habrían empacado la comida; quizás bañaron a todos los niños. Después, probablemente se pusieron sus mejores vestidos.

Todos estaban emocionados de ver a Jesús.

Finalmente, alguien dio el aviso de que ¡Jesús ya casi estaba allí! Todos corrieron afuera a mirar. Mientras las familias esperaban, los padres y las madres habrían estado conversando entre ellos. Quizás hablaron sobre lo lindo que sería que Jesús abrazara a sus hijos. Él podría bendecirlos —aun a los pequeños bebés.

Jesús siempre hablaba de amar a todos. Seguramente eso incluía a los niños y los bebés.

Jesús vino y se sentó en un lugar cómodo, donde Él habló toda la mañana. La gente escuchaba atentamente.

Aun los niños parecían saber que alguien especial había llegado al pueblo. Ellos probablemente se preguntaban si Jesús podía verlos.

A la hora de la comida del medio día, las madres desempacaron la comida, y todos comieron sobre el pasto.

Los discípulos de Jesús se sentaron cerca de Él y hablaban bajito. Ellos no querían que nadie molestara a Jesús.

Entonces, algunos de los padres y madres levantaron a sus hijos. Ellos cargaron a sus hijos y los llevaron hacia Jesús.

Pero los discípulos de Jesús vieron que venían las familias. Los discípulos no querían que los niños molestaran a Jesús. Quizás los niños no les parecían muy importantes a ellos.

Ahora, los discípulos tenían que tomar una decisión importante. Ellos podrían dejar que los niños fueran a Jesús. O podrían despedir a las familias y ni siquiera decirle a Jesús que habían venido.

Esto es lo que los discípulos hicieron: les dijeron a los padres que no dejen que los niños molesten a Jesús. Les dijeron que Él no tenía tiempo para los niños. Y que Jesús estaba ocupado y que no quería verlos.

Los padres se pusieron muy tristes. ¿Realmente a Jesús no le gustaban los niños?

Pero Jesús escuchó lo que los discípulos dijeron. Él dijo: "Traigan los niños a mí. Ellos son las personas más importantes de mi Reino".

Todos los niños corrieron a sentarse en Sus faldas. Él contó historias especialmente para ellos. Luego, Él los bendijo a todos. Él oró por cada uno, hasta el más pequeño bebé.

¡Todos los niños estaban muy felices! Todas las madres y padres estaban felices también.

Luego, los discípulos entendieron que habían estado equivocados. Jesús nunca está demasiado ocupado para ver a los niños. Él siempre amaría a los niños, y ellos siempre lo amarían a Él.

Recordemos juntos

¿Por qué querían las familias ver a Jesús? ¿Qué les dijeron los discípulos a los padres?
¿Los discípulos tomaron una buena decisión o una mala decisión? ¿Qué hizo Jesús cuando vio a los niños?

Piensa en TUS decisiones

¿Alguna vez has tratado a las personas como si no fueran muy especiales? Quizás no escuchaste a tu hermanito menor, a una hermana, o a un vecino. Todas las personas son especiales para Jesús, así es que ¡deben ser especiales para ti también!

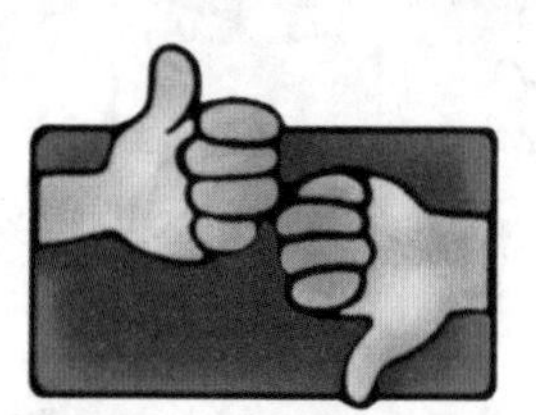

Actividad

Repasa esta historieta Bíblica con algunos de los niños que tú conoces. Eso sería como ¡llevarlos a Jesús!

Nuestros amigos deben ser especiales para nosotros porque ellos son especiales para Jesús.

Oremos juntos

Jesús, estoy contento de que me ames y de que todos los niños sean especiales para ti. Ayúdame a mostrar por la manera en que actúo, que yo pienso que son especiales también.
En Tu nombre he orado. Amén.

¿Quién ayudará?

Lucas ***10:25-37***

> **DECISIÓN:** ¿Un Hombre Samaritano ayuda a alguien que ha sido herido? O ¿Él se sigue de largo?

¿Quién es mi vecino?

Un hombre le preguntó eso a Jesús un día. Era importante para el hombre saber la respuesta.

Era importante porque la ley de Dios dice: "Ama a Dios con todo tu corazón y ama a tu vecino tanto como te amas a ti mismo".

Para contestar la pregunta de este hombre, Jesús contó la siguiente historia: "Un hombre viajaba por una camino. Él había estado en la ciudad de Jerusalén. Ahora él estaba en camino a la ciudad de Jericó. Él no lo sabía, pero había ladrones esperándolo. De pronto, ¡ellos estaban allí! Ellos parecían haber salido de la nada. Le pegaron y se llevaron su dinero. Luego lo dejaron al costado del camino.

"Un hombre que dirigía la adoración en el templo vino por el camino. Él vio al hombre herido, pero no lo conocía y no se detuvo a ayudarlo. Quizás él estaba apurado, o quizás simplemente, no le importaba".

"Alguien más vino por el camino. Él ayudaba en la adoración en el templo, también.

Él vio al hombre herido, pero no lo conocía y no se detuvo para ayudarlo. Quizás estaba muy ocupado, o quizás pensó que se iba a ensuciar".

"Luego, un forastero de Samaria vino por el camino. El forastero vio al hombre herido. Él no lo conocía, pero sabía que el hombre necesitaba ayuda".

"Ahora, el forastero tenía que tomar una decisión importante. Él podría detenerse y ayudar al hombre herido. O podría continuar su camino como lo hicieron los otros".

"Esto es lo que el forastero hizo. Él detuvo a su burro y corrió donde estaba el hombre. Él limpió las heridas del hombre y las envolvió en tiras de tela. Él levantó al hombre,

lo puso sobre su burro y lo llevó lentamente por el camino. Llevó al hombre a un hostal con habitaciones donde se podían quedar los viajeros. Allí se quedó toda la noche y cuidó al hombre".

"En la mañana, el forastero tenía que continuar su viaje, pero le dio dinero al hombre a cargo del hostal. Le dijo que cuidara al hombre herido. Le dijo: 'Si necesitas dinero, yo te lo pagaré cuando regrese'. Y el forastero se fue".

Ese fue el final de la historia de Jesús. Luego, Jesús preguntó: "¿Quién fue buen vecino para el hombre herido por los ladrones?"

La persona que había estado escuchando la historia de Jesús supo la respuesta. Él dijo: "El buen vecino fue el forastero que se detuvo para ayudarlo".

Jesús dijo: "Estás en lo correcto. Ahora, ve tú y sé ese tipo de vecino".

Recordemos juntos

¿Qué dice la ley de Dios acerca de Amar a nuestros vecinos? En la historia de Jesús, ¿quién necesitaba la ayuda de un vecino? ¿Qué hizo el forastero de Samaria por el hombre herido?

¿El forastero tomó una buena decisión o una mala decisión?

Piensa en TUS decisiones

Algunos de nuestros vecinos son gente que conocemos. ¿De qué manera los podemos ayudar?

Algunos de nuestros vecinos son desconocidos. ¿Cuáles son buenas reglas para mantenernos seguros cuando un desconocido necesita ayuda?

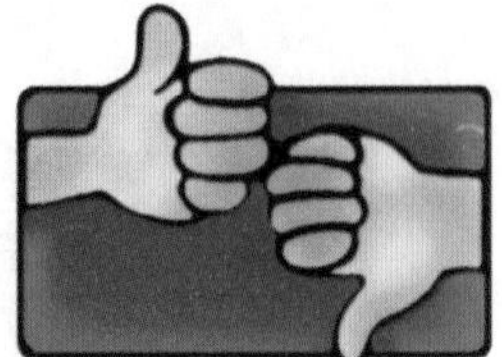

Actividad

Haz una lista de números telefónicos para llamar si alguien cerca a ti está herido o enfermo.

Luego, practica haciendo llamadas con un teléfono de juguete.

Dios nos ayuda a saber cómo podemos ser buenos vecinos.

Oremos juntos

Querido Dios, gracias por los buenos vecinos y por enseñarnos las maneras en que nosotros podemos ser buenos vecinos. En el nombre de Jesús. Amén.

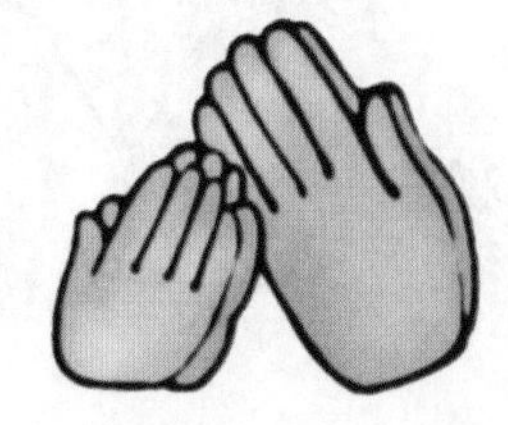

Lejos del hogar

Lucas ***15:11-24***

DECISIÓN: ¿Admite el Hijo Pródigo que se equivocó y regresa a su hogar? O ¿Piensa que es lo correcto mantenerse lejos?

Cuando Jesús contó una historia, la gente quería escuchar. Ellos entendían las historias porque se trataba de gente como ellos mismos.

Un día Jesús contó una historia acerca de una familia. La familia tenía un padre y dos hijos.

El hijo mayor ayudaba a su padre en la hacienda. El hijo menor quería ver el mundo. Él quería todo el dinero de la familia que debía pertenecerle algún día. Y él lo quería ¡ahora mismo!

Era el derecho del hijo decidir cuándo conseguiría su dinero. Así es que su padre se lo dio y le dijo adiós.

El joven se fue a un país lejano. Allí hizo muchas cosas que estaban mal, y se gastó todo su dinero.

Cuando se le acabó su dinero, ya no podría comprar comida. Tenía hambre. Así es que consiguió un trabajo alimentando a los cerdos. Él tenía tanto hambre que la comida de los cerdos se veía ¡lo suficientemente buena para comer!

Luego, el joven pensó: los hombres que trabajan para mi padre tienen más comida de lo que ellos necesitan y yo no tengo nada de comida.

Ahora, el joven tenía que tomar una decisión importante. Podría ir a casa y pedirle perdón a su padre por las cosas malas que había hecho. Podría decirle a su padre que trabajaría a cambio de su comida. O el joven podría quedarse con los cerdos. Podría creer que no había hecho nada malo. Y podría olvidarse de volver a su familia algún día.

¿Qué hizo el joven? Saltó y corrió fuera del chiquero. Él corrió todo el camino a casa.

Su padre lo buscaba y lo vio cuando venía. Él vio que su hijo estaba sucio y vestido con harapos.

¿Se enojó el padre? ¿Estaba él alterado? ¡No! Todo lo que él podía pensar era cuánto amaba a su hijo. Él estaba muy contento de que el joven ¡hubiera regresado a casa!

El padre corrió a darle el encuentro a su hijo y lo abrazó. El joven le dijo a su padre que lamentaba mucho lo sucedido. Él dijo: "Yo ya no soy lo suficientemente bueno para ser tu hijo".

Pero, ¿saben lo que hizo el padre? Él trajo la mejor ropa de la casa para su hijo. Luego, les pidió a sus ayudantes que prepararan una gran cena. Y él invita a todos para que vengan y vean a su hijo que había vuelto a casa.

Jesús contó esta historia para ayudar a la gente. Él quería que ellos supieran que Dios es como ese padre en la historia.

Él contó la historia para la gente que es como su hijo menor. La gente que hace cosas que están mal, puede arrepentirse. Ellos pueden regresar a la familia de Dios. Y Dios siempre les dará la bienvenida de regreso a casa.

Recordemos juntos

¿Por qué el hijo menor en la historia de Jesús deseaba comer comida de cerdos? Cuando él decidió ir a casa, ¿tomó el hijo una buena decisión o mala decisión? ¿Cómo lo saludó el padre cuando él volvió a casa? ¿Quién es como el padre en esa historia?

Piensa en TUS decisiones

¿Es difícil decir que lo sientes? ¿Cómo pueden miembros de tu familia mostrar su perdón los unos a los otros? ¿Pueden ustedes abrazarse? ¿Pueden ustedes hablarle a Dios juntos?

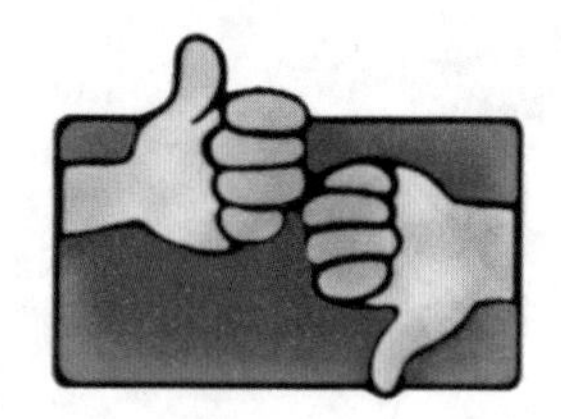

Actividad

Juega a las escondidas. Cada vez que encuentres a alguien, abrázalo y corre a casa.

Podemos hablarle a Dios acerca de las cosas malas que hemos hecho, y Él aun así nos amará.

Oremos juntos

Querido Dios, ayúdanos a decir que lo sentimos cuando tengamos la necesidad de hacerlo.
Gracias por ser un Padre tan amoroso. En el nombre de Jesús. Amén.

Busca en todas partes

Mateo 18:12-14; Lucas 15:3-7; Juan 10:11

DECISIÓN: ¿Un pastor continúa buscando su oveja perdida? O ¿Deja de buscarla?

Otra historia que contó Jesús era acerca de un pastor que tenía muchas ovejas. Él tenía más de 20 ovejas. Él tenía más de 50 ovejas. ¡Él tenía 100 ovejas!

Todos los días, el pastor sacaba a las ovejas al campo. Allí, ellas comían pasto verde y tomaban agua fresca. Jugaban al sol y hacían la siesta en la sombra.

Todas las noches, el pastor traía a sus ovejas a casa, al redil. Él las contaba para asegurarse de que todas estaban allí: 97, 98, 99, 100. Todas estaban allí. Así es que cerraba la reja y estaban seguras para pasar la noche.

Una noche, el pastor contaba a sus ovejas: 97, 98, 99… ¿Qué? ¿Dónde estaba la número 100? ¿Dónde estaba la última pequeña oveja? ¡Se había perdido! Quizás estaba enredada en un espino, o entre rocas o en una cueva. Quizás estaba herida.

Ahora, el pastor tenía que tomar una decisión importante. Él podría ir a la oscuridad y buscar a la pequeña oveja perdida. Podría seguir buscándola hasta encontrarla. O el pastor podría quedarse en casa. Después de todo, él tenía otras 99 ovejas que estaban seguras en el redil. Y quizás la oveja perdida no quería estar en el redil de todas maneras.

¿Qué hizo el pastor? Él se aseguró de que las ovejas en el redil estuvieran seguras.

Luego, él probablemente se pondría su abrigo. Él tomó su cayado y volvió a salir para buscar a su pequeña oveja perdida.

Él la buscó por arriba en las colinas. No había pequeña oveja.

Él la buscó por las cuevas rocosas. No había pequeña oveja.

Él la buscó por el arroyo de agua. No había pequeña oveja.

Finalmente, él caminó hacia los espinos en el extremo lejano del campo. Él creyó escuchar un pequeño sonido: ¡Bee, bee! Él corrió hacia los arbustos, y ¡allí estaba la pequeña oveja!

El buen pastor la tomó en sus brazos y la apretó contra su pecho. Él la levantó sobre sus hombros y la cargó todo el camino a casa.

Cuando llegó a casa, el pastor llamó a sus amigos. Él dijo: "¡Vengan y alégrense conmigo! Mi pequeña oveja se había perdido y la he hallado".

Todas las ovejas en el redil estaban contentas de tener a la pequeña oveja de vuelta en casa.

Estaban contentas de que el pastor se interesara por cada una de ellas.

Jesús se llamó a sí mismo el Buen Pastor. Él nos ama a cada uno de nosotros, como el pastor amaba a su pequeña oveja perdida.

Jesús no quiere que nadie se pierda. Él quiere que todos lo sigan. Jesús, el Buen Pastor, puede ayudar a todos a estar seguros en la familia de Dios.

Recordemos juntos

¿Cuántas ovejas tenía el pastor? ¿Qué descubrió el pastor al contar sus ovejas una noche? ¿El pastor tomó una buena decisión o una mala decisión? ¿Cómo se sintió el pastor cuando encontró a su pequeña oveja perdida? ¿Quién es como ese amable pastor?

Piensa en TUS decisiones

Jesús es tu pastor. ¿Cómo lo puedes seguir a Él? ¿Cómo puedes aprender a amarlo y obedecerlo?

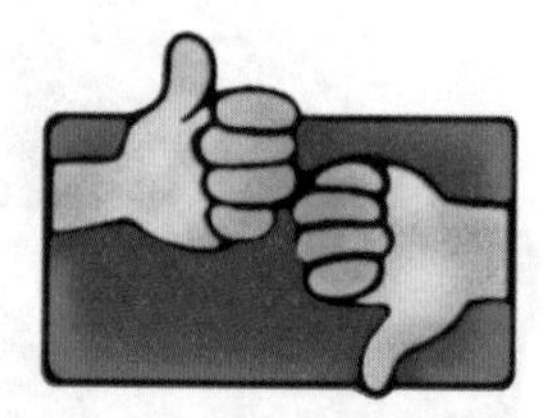

Actividad

Juega a las escondidas al igual que lo hiciste en la última historia. Esta vez, finge que tú eres una pequeña oveja perdida. Di ¡bee! suavemente para ayudar a que tu pastor te encuentre.

Nosotros podemos seguir a Jesús, nuestro Buen Pastor, aprendiendo a amarlo y obedecerlo.

Oremos juntos

Querido Dios, gracias por enviar a Jesús para ser nuestro Buen Pastor. Nosotros queremos estar seguros dentro tu familia para siempre. En el nombre de Jesús. Amén.

"¡Gracias Jesús!"

Lucas 17:11-19

DECISIÓN: ¿Un hombre le agradece a Jesús por sanarlo? O ¿Se va apuradamente con sus nueve amigos?

Jesús a menudo caminaba de un lugar a otro. Él conocía a mucha gente. Ellos querían escuchar del amor de Dios para cada uno de ellos.

Algunas personas que querían ver a Jesús estaban enfermas. Ellos habían escuchado que Jesús podía sanar a los enfermos.

Un día Jesús encontró diez hombres enfermos de lepra. La ley decía que la gente leprosa no podía vivir cerca de

nadie más. Si lo hacían, otra gente podía contagiarse de lepra también. Así es que estos hombres tenían que vivir lejos de sus familiares. Era la ley.

Los diez hombres vieron a Jesús viniendo por el camino. Ellos se quedaron lejos de Jesús porque sabían lo que la ley decía. Sabían que ellos no podían acercarse a nadie. Pero querían que Jesús los sanara. Así es que llamaron a Jesús, con su voz más fuerte. Ellos gritaron: "¡Jesús, por favor, ayúdanos!

Jesús sabía lo que estos hombres querían. Él dijo: "Vayan a casa. Ya no estarán más enfermos".

Los diez hombres empezaron a correr a casa. ¡Qué felicidad de ver a sus familiares!

Mientras corrían, se miraban a sí mismos. Vieron que sus llagas ¡habían desaparecido!

Nueve de los hombres continuaron corriendo, pero uno de ellos se detuvo. Él sabía que Jesús había hecho algo maravilloso por él.

Ahora, el hombre que se detuvo tenía que tomar una decisión importante. Él podría regresar y darle las gracias a Jesús. Sabía que eso sería lo correcto. O él podría seguir corriendo con los otros nueve hombres. ¿Por qué debía parar él si los otros no lo hicieron? Él quería llegar a casa tanto como los demás.

Esto es lo que hizo aquel hombre. Él decidió que estaba mal dar aunque sea un solo paso más. Primero él debía regresar a agradecerle a Jesús. Así es que el hombre dio la vuelta y corrió de regreso donde Jesús estaba parado. Él se tiró al piso y le agradeció a Jesús una y otra vez por haberlo sanado. Él alabó a Dios por Su poder sanador.

Jesús dijo: "¿No fueron diez hombres enfermos? ¿Dónde están los otros nueve que he sanado?

Sólo tú has venido a agradecerme".

El hombre sabía que los otros habían regresado a sus casas, pero no dijo nada. Él estaba contento de haber decidido regresar a agradecerle a Jesús.

Jesús le sonrió al hombre. Él dijo: "Puedes levantarte ahora y ve a casa con tu familia. Tú creíste que Yo te podía ayudar y ahora estás bien".

Así es que el hombre corrió a casa. Cuando llegó allá, su familia estaba muy contenta de verlo.

Él estaba contento de verlos a ellos también y ¡cuán feliz se sentía de haber conocido a Jesús!

Recordemos juntos

¿Cuántos hombres estaban enfermos? ¿Cómo los ayudó Jesús? ¿Por qué se detuvo uno de los hombres? ¿Este hombre tomó una buena decisión o una mala decisión?

Piensa en TUS decisiones

Cuando alguien te ayuda ¿qué le dices? ¿Cómo te ayuda Dios a ti? ¿Tú que le dices?

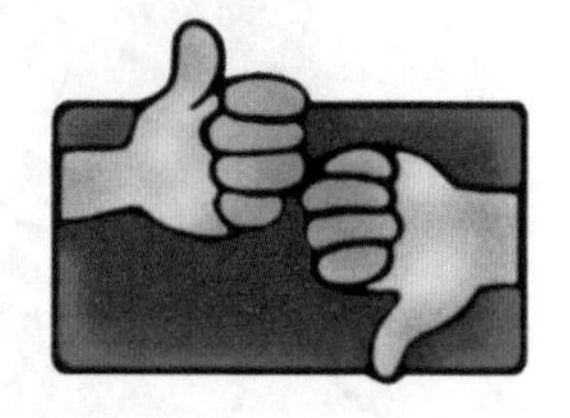

Actividad

Dios nos da muchos regalos: amigos, familia, comida, ropa, animales, cuerpos sanos, etc. Mira si puedes pensar en un regalo por cada letra del alfabeto. Quizás quieras darle una oración de gracias a Dios diariamente, por cada uno de estos regalos.

Elegir agradecer a Dios
¡hace que todos estén felices!

Oremos juntos

Querido Dios, gracias por estar con nosotros cuando enfermamos. Gracias por todos los días buenos cuando estamos sanos. Ayúdanos a ser agradecidos por todo lo que Tú haces.
En el nombre de Jesús. Amén.

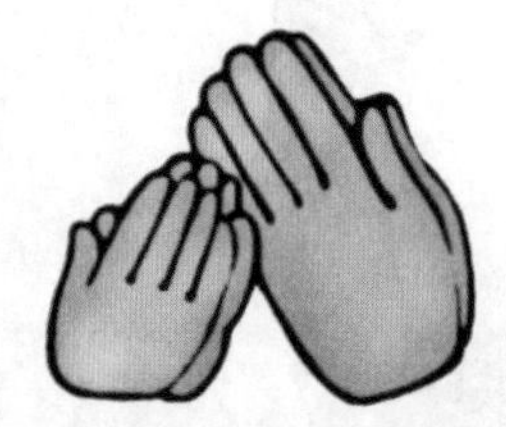

Mira a las aves

Marcos 10:46-52

DECISIÓN: ¿Confiaba Bartimeo en que Jesús lo ayudaría? O ¿Él no trató de hablar con Jesús?

A Bartimeo le gustaba estar en las afueras. Él podía sentir el suave viento en su cara. Podía oír a los pájaros cantar, oler el pan horneado.

Pero Bartimeo era ciego, o sea que no podía ver. No podía ver nada en absoluto.

Bartimeo se sentaba todo el día a mendigar al costado del camino. Cuando alguien pasaba a su lado, él le pedía dinero a esa persona. Era la única manera en que él podía conseguir dinero para comprar comida. Algunas personas le daban poco. Algunas personas le daban bastante. Algunos no le daban nada.

Luego, Bartimeo recibió un regalo maravilloso. Él escuchó sobre Jesús. Escuchó que Jesús podía ayudar a las personas, aun a personas que jamás habían podido ver.

Bartimeo debía haberse preguntado quién era Jesús. ¿Podría realmente ese hombre ayudarlo a ver?

Un día Bartimeo se sentó por el camino como siempre lo hacía, pero había algo diferente hoy.

Bartimeo usó sus oídos para escuchar atentamente. Escuchó a una multitud de gente que se reunía cerca del camino. Ellos hablaban de Jesús. Él venía por el camino, ¡hoy mismo! La gente en la multitud empezó a aclamarlo. Jesús estaba en el camino ¡cerca a Bartimeo!

Ahora, Bartimeo tenía que tomar una decisión importante. Él podría gritar más fuerte que la multitud y esperar conocer a Jesús. Podría creer que Jesús podía ayudarlo. Quizás Jesús hasta podría ayudarlo a ver. O Bartimeo podría seguir mendigando al lado del camino. Con esta gran multitud, él podía conseguir una buena suma de dinero hoy. Además, él no sabía realmente si Jesús podía ayudarlo.

¿Qué hizo Bartimeo? Él gritó: "¡Jesús, ayúdame!"

Pero la multitud era grande y bulliciosa. Nadie quería que Bartimeo se metiera en el camino. Así es que la gente cerca de él le dijo que se callara.

Bartimeo no se calló. Él volvió a gritar: "¡Jesús, por favor, ayúdame!"

Jesús se detuvo y le pidió a alguien por allí que le trajera a Bartimeo. "Ven", alguien le dijo al ciego.

"Jesús quiere verte".

¡Qué noticia maravillosa! Bartimeo saltó y tiró su capa a un lado.

Antes de que supiera, Bartimeo estaba parado frente a Jesús. Jesús dijo: "¿Qué deseas?"

Bartimeo dijo: "Quiero ver".

Jesús sonrió. Él le dijo: "Creíste que Yo te podía ayudar, y ahora puedes ver".

Bartimeo abrió lentamente los ojos. Y sí, ¡podía ver! Probablemente lo primero que vio fue ¡la sonrisa de Jesús! Luego, él vio a los pájaros, las nubes y el camino. Y vio a toda la gente de la multitud.

Bartimeo siguió a Jesús por el camino. Ahora, ¡él podía ver por dónde iba!

Él estaba tan contento que llamó a Jesús. Y Jesús estaba contento que Bartimeo hubiese confiado en que Él lo ayudaría.

Recordemos juntos

¿Qué quería Bartimeo que Jesús hiciera por él?
¿Bartimeo tomó una buena decisión o una mala decisión?
¿Cómo ayudó Jesús a Bartimeo? ¿Quién estaba feliz entonces?

Piensa en TUS decisiones

¿Hay algo que te gustaría que Jesús hiciese por ti o por algún amigo?
Jesús puede siempre sanar a la gente, pero a veces Él ayuda de diferentes maneras.
¿Cómo puede Jesús ayudar a alguien si es que no sana a la persona?
¿Cómo puedes ayudar a alguien que no puede ver, oír, o andar tan bien como lo haces tú?

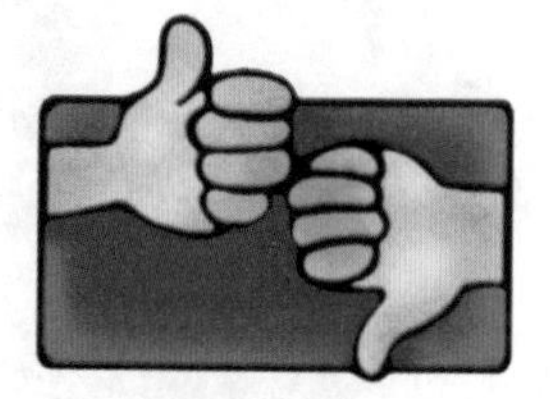

Actividad

Coloca una alarma varias veces durante un día. Dale gracias a Dios por todas las cosas que puedes ver (u oír o tocar) cada vez que suena la alarma.

Podemos confiar en Dios para ayudarnos a cuidar de nuestro cuerpo.

Oremos juntos

Querido Dios, gracias por nuestros ojos, oídos y ¡todo! Ayúdanos a elegir cuidar bien nuestro cuerpo. En el nombre de Jesús. Amén.

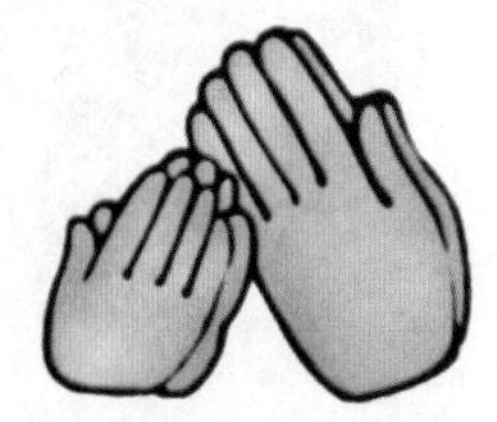

Ven, siéntate conmigo

Lucas ***10:38-42***

DECISIÓN: ¿María le presta atención a Jesús? O ¿Ella está muy ocupada?

En el pequeño pueblo de Betania, algunas mujeres llevaban agua del pozo a sus casas.

Algunas mujeres estaban moliendo la harina para el pan. Algunas mujeres estaban lavando la ropa. Pero en una pequeña casa, dos hermanas estaban haciendo probablemente todas esas cosas. Ellas deben haber estado barriendo, horneando y poniendo las cosas en su lugar también. María y Marta se preparaban para la visita de ¡su amigo Jesús!

Pronto la casa estaba limpia y la comida se estaba cocinando.

Entonces, llegó Jesús. María y Marta eran sus amigas especiales, así es que a Jesús siempre le gustaba visitarlas. Él se sentó a conversar con ellas acerca del amor de Dios.

Marta pensaba en todas las cosas que todavía faltaban hacer. Quizás tenía que ir a ver si la comida ya estaba lista. Luego tendría que servir todo en platos. Y Jesús querría algo de tomar. Marta necesita que María la ayude.

Ahora, María tenía que tomar una decisión importante. Ella podría sentarse y escuchar a Jesús hablar sobre el amor de Dios. Jesús era tan buen maestro. A ella le encantaba escucharlo. O María podría ayudar a Marta. Ella podría dejar que Jesús se siente y espere mientras ella estaba ocupada trabajando.

¿Qué hizo María? Ella se sentó a los pies de Jesús. Ella quería estar segura de escuchar todo lo que Él dijera. Jesús sonrió al verla escuchar tan atentamente, pero Marta no sonreía para nada. Ella le dijo a Jesús: "Estoy haciendo todo el trabajo sola. Dile a María que me ayude".

Jesús dijo: "Marta, Marta. No te alteres. María quiere escuchar sobre el amor de Dios. Eso es lo más importante".

Jesús tenía tantas historias que contar, y Él sólo podía quedarse por un corto tiempo. Cómo deseaba que Marta también viniera y se sentara con Él. Él quería que ella escuchara sobre el amor de Dios también.

Recordemos juntos

¿Por qué estaban Marta y María tan ocupadas? ¿Qué quería hacer Jesús al venir a visitarlas? ¿Qué querían hacer Marta y María? ¿María tomó una buena decisión o una mala decisión?

Piensa en TUS decisiones

¿Eres tú un buen oyente? ¿Cómo puedes aprender a ser un buen oyente? Nombra maneras en las que puedes escuchar sobre el amor de Dios. (Escucha a alguien leer historias de la Biblia; mira videos sobre la Biblia y programas de televisión; escucha canciones acerca de Jesús, etc.)

Actividad

Encuentra a alguien a quien le guste hablar de Dios, y pídele a esa persona que te cuente sobre el amor de Dios. Puede ser uno de tus padres, abuelo, vecino, maestro, pastor, etc. Asegúrate de ¡escuchar atentamente!

A Dios le agrada cuando nosotros escuchamos a gente que nos cuenta sobre Su amor.

Oremos juntos

Querido Dios, ayúdanos a elegir ser buenos oyentes cuando alguien nos habla acerca de ti o de tu Hijo, Jesús. Amén.

Arriba del árbol

Lucas 19:1-10

> **DECISIÓN:** ¿Zaqueo le dice a Jesús que se arrepiente y comienza a hacer lo que es bueno? O ¿Continúa haciendo cosas malas?

Zaqueo era un hombre pequeño que vivía en un pueblo pequeño. Él era un hombre rico, pero no era feliz. Consiguió su dinero engañando a la gente. Él tomaba más dinero de lo que debería de los impuestos de la gente, y conservaba lo que sobraba para sí mismo. A la gente no le gustaba la manera en que Zaqueo engañaba, así es que no querían ser sus amigos. Él estaba solo.

Un día, Zaqueo se enteró de que Jesús venía al pueblo. Al principio, a Zaqueo probablemente no le importaba. Él no estaba enfermo, y podía ver. Así es que no necesitaba la ayuda de Jesús.

Pero después podía haber pensado que Jesús quería ser amigo de todos. Quizás él, por lo menos debía intentar ver cómo era Jesús.

Así es que Zaqueo fue a la calle por donde vendría Jesús. Pero todos en ese pueblo ¡hicieron lo mismo! Había tanta gente que Zaqueo no podía ver nada. Él era de estatura muy baja y debido a que a nadie le caía bien, probablemente ni siquiera preguntó si podía pararse adelante.

Luego, Zaqueo tuvo una buena idea. Él trepó un árbol en la calle por donde Jesús pasaría. Él se sentó en una rama detrás de algunas hojas. Ahora él podía ver todo, pero él pensaba que ¡nadie podía verlo!

Jesús se fue acercando y acercando. Zaqueo vio que Él se veía amable, pero ¿sería Él amigo de alguien que engaña? Jesús caminó cada vez más cerca hasta que… ¡paró! Jesús se detuvo justo ¡debajo del árbol donde estaba Zaqueo! Él miró hacia arriba a las ramas y vio a Zaqueo. Jesús dijo: "Zaqueo, baja. Hoy voy a ir a casa contigo".

Zaqueo casi no lo podía creer. Sólo un amigo vendría a su casa. Jesús quería ser su amigo, pero ¿y qué del dinero que Zaqueo había conseguido engañando?

Ahora Zaqueo tenía que tomar una decisión importante. Él podría bajar del árbol y permitirle a Jesús venir a casa

con él. Jesús y él podían hacerse amigos. O Zaqueo podría esperar a que Jesús se fuera. Entonces, Zaqueo podría seguir siendo un hombre rico con una linda casa.

¿Qué hizo Zaqueo? Él bajó tan rápido como una ardilla. Él fue con Jesús a su casa y ellos conversaron.

Estar con Jesús hizo que Zaqueo se lamentara sobre las cosas malas que había hecho. Él dijo: "Voy a dar la mitad de mis cosas a la gente pobre y si he pedido demasiado

dinero para los impuestos, pagaré de vuelta cuatro veces más, a la gente de quien he tomado el dinero". La amistad de Jesús valía todo el dinero que Zaqueo iba a devolver. Jesús estaba contento de que Zaqueo se lamentara sobre las cosas malas que había hecho.

Jesús estaba contento de que Zaqueo finalmente quería hacer lo que es bueno. Él le dijo a Zaqueo:

"Yo vine a buscar y ayudar a gente como tú. Ahora, estás a salvo en la familia de Dios.

Recordemos juntos

¿Cómo consiguió Zaqueo su dinero?
¿Por qué trepó un árbol?
¿Qué le dijo Jesús a Zaqueo?
¿Zaqueo tomó una buena decisión o una mala decisión?
¿En qué cambió Zaqueo después de la visita de Jesús?

Piensa en TUS decisiones

Jesús quiere ser tu amigo. ¿Qué cosas malas puede Él ayudarte a que dejes de hacer?

Actividad

Métete debajo de una mesa y mira los pies pasar. Luego, párate sobre una silla y mira al mundo desde lo alto como lo hizo Zaqueo. Pon un plato extra de comida y háblale a Jesús como si estuviera allí mismo. (Él realmente lo está, ¡tú lo sabes!)

Podemos pedirle a Jesús que nos ayude a dejar de hacer cosas malas y ¡empezar a hacer lo que es bueno!

Oremos juntos

Querido Dios, es bueno saber que Jesús quiere ser nuestro amigo para siempre.
Nos arrepentimos de ________________, y ahora queremos hacer lo que esté bien.
En el nombre de Jesús. Amén.

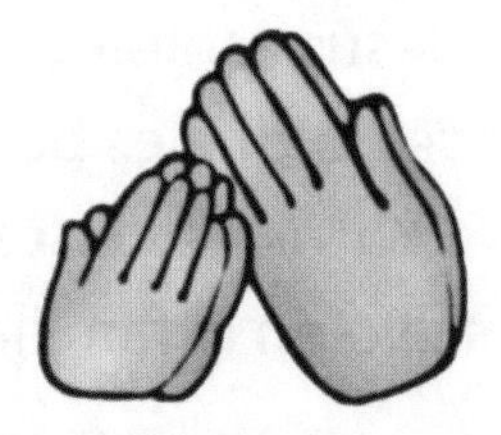

Un regalo para Jesús

Lucas 7:36-50

DECISIÓN: ¿Una mujer le da a Jesús un regalo especial? O ¿Ella lo guarda para sí misma?

Jesús disfruta comer la cena con sus amigos. Ellos pueden conversar, reírse y relajarse juntos.

Un día un hombre importante llamado Simón, invitó a Jesús a ir a su casa para cenar.

Mucha gente había sido invitada, excepto una mujer de allí que probablemente no había sido invitada. Esta mujer había hecho algunas cosas de las cuales se avergonzaba.

Todos sabían sobre las cosas malas que ella había hecho, y ella no le caía bien a la mayoría de la gente.

Pero la mujer había escuchado a Jesús hablando del amor de Dios. Ella estaba segura de que a Jesús le importaba ella. Así es que ella quería hacerle un regalo hermoso a Jesús; lo mejor que ella poseía. Era un envase de aceite que olía maravillosamente. Ella sabía que los pies de Jesús estaban calientes y secos de caminar todo el día con sandalias. El aceite se sentiría muy bien sobre sus pies secos.

Ahora la mujer tenía que tomar una decisión importante. Ella podría derramar el aceite maravilloso sobre los pies de Jesús. Ésa sería una gran manera de agradecerle a Él por importarle ella. Sería una manera de agradecerle por la maravillosa noticia del perdón de Dios. O la mujer podría salir calladamente con su envase de aceite. Quizás Jesús no hubiese querido que ella lo toque. Quizás a Él, ella no le importaba en realidad.

¿Qué hizo la mujer? Ella derramó el aceite sobre los pies de Jesús y empezó a frotarlos.

Luego, ella le secó los pies con su cabello largo. Al llenarse la habitación con el maravilloso aroma, muchos de los invitados a cenar probablemente dieron vuelta y la vieron.

Simón, el hombre importante que había invitado a la gente a su casa, vio a la mujer.

Él sabía el estilo de vida que ella tenía. Así es que le dijo a Jesús quién era ella y que ella había hecho cosas malas.

Jesús le dijo a Simón, "Tú no hiciste nada por darme la bienvenida cuando vine a tu casa. Tú no me lavaste los pies como saludo, pero esta mujer me ha mostrado cuánto me ama".

Luego, Jesús miró a la mujer y ella miró a Jesús a los ojos. Ella vio cuánto Él la amaba.

Sí, Jesús sabía quién era ella y lo que ella había hecho. Él también sabía que ella quería cambiar y vivir de otra manera. Él sabía que ella había escuchado sobre el amor y el perdón de Dios.

La mujer empezó a llorar, pero no estaba triste. Las lágrimas de ella eran de felicidad.

Ella estaba contenta de que Jesús la comprendiera y estaba contenta de que Él la amara tanto.

Jesús le dijo a la mujer: "Tus pecados son perdonados. Tú has creído en mí, y ahora estarás segura en la familia de Dios. Ve en paz".

¡Cuán contenta estaba la mujer por haberle dado a Jesús su regalo! y ¡cuán contento estaba Jesús por haber podido perdonar sus pecados!

Recordemos juntos

¿Por qué quiso la mujer poner aceite en los pies de Jesús?

¿Ella tomó una buena decisión o una mala decisión? ¿Qué le dijo Jesús a la mujer después que ella le diera el regalo?

Piensa en TUS decisiones

¿Cuál es el mejor regalo que alguna vez le diste a alguien? ¿Por qué quisiste que esa persona tuviera algo tan maravilloso?

Le puedes dar regalos a Jesús también. Jesús dice que ¡darles regalos a otras personas es igual a darle regalos a Él! Y cuando le dices que Lo amas o que te lamentas por las cosas malas que has hecho, eso es un regalo.

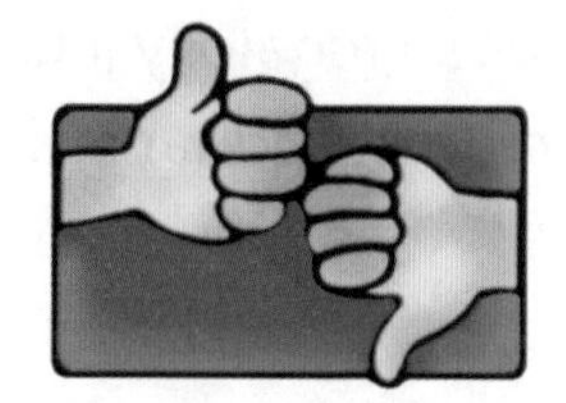

Actividad

Dibuja un envase de perfume y frota un poco de perfume sobre él. Dalo como regalo a alguien para mostrarle que tú amas a Jesús.

Dar regalos a otros es una de las maneras de mostrar que amamos a Jesús.

Oremos juntos

Querido Jesús, te amamos. Ayúdanos a mostrar nuestro amor por ti haciendo lo que es bueno.
En Tu nombre. Amén.

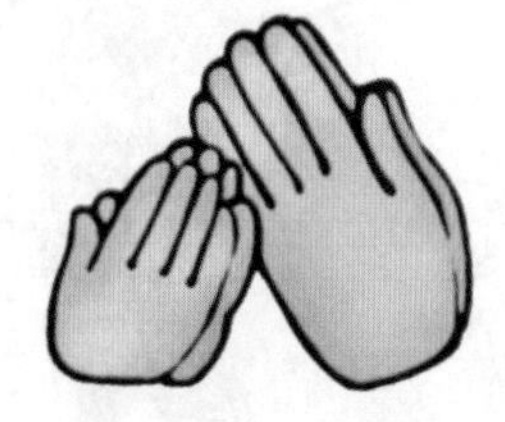

Entrando a Jerusalén

Mateo ***21:1-11, 14-16;*** *Lucas* ***19:29-40***

DECISIÓN: ¿Los discípulos de Jesús le consiguen un burro? O ¿Deciden que sería mejor no ayudar a Jesús a entrar a Jerusalén montando un burro?

Jesús estaba parado sobre una colina cerca a la ciudad de Jerusalén. Él había estado viajando alrededor del país por aproximadamente tres años. Dondequiera que iba, había multitudes de gente. Ellos querían escuchar todo acerca del amor de Dios por ellos. Los enfermos querían que Jesús los sanara. Aquellos que habían hecho cosas malas querían que Jesús los perdonara. A mucha gente le gustaba lo que Jesús decía y hacía. Algunas personas hasta querían hacer a Jesús su rey.

Pero en Jerusalén, a muchos de los líderes no les gustaba Jesús. Ellos temían de que si Jesús fuera rey, ellos no seguirían siendo tan poderosos. Así es que trataron de engañarlo con preguntas difíciles, pero Jesús siempre sabía justo lo que debía decir. Ellos trataron de sorprenderlo rompiendo la ley, pero Jesús sólo hizo las cosas correctas. Finalmente, los hombres regresaron a Jerusalén a esperar y pensar un poco más. De alguna manera debían de deshacerse de Jesús.

Jesús sabía que le iban a suceder cosas tristes, pero sabía también que era tiempo de entrar en Jerusalén. Así es que sobre una colina, cerca de la ciudad, Jesús habló con dos de sus ayudantes.

Él dijo: "Yo quiero que ustedes vayan al pequeño pueblo cerca de Jerusalén. Van a encontrar un burro joven amarrado allí. Nadie nunca antes ha montado este burro. Tráiganmelo. Si alguien les pregunta qué están haciendo, díganle que yo necesito el burro".

Ahora, los ayudantes de Jesús tenían que tomar una decisión importante. Ellos podrían encontrar al burro y traerlo a Jesús, así como Él les había pedido. O podrían fingir que no podían encontrar al burro. Ellos podían tratar de evitar que Jesús fuera a Jerusalén. Después de todo, probablemente no sería seguro ir para allá.

¿Qué hicieron los ayudantes de Jesús? Ellos fueron al pueblo y encontraron al burro. Ellos le dijeron al dueño: "Jesús lo necesita". Ellos trajeron el burro a Jesús y pusieron

sus abrigos sobre la espalda del burro. Ellos querían que Jesús se sentara sobre algo blando.

Sentado sobre el lomo del burro, Jesús bajó la gran colina hacia Jerusalén. La gente gritaba animadamente: "¡Hosana! ¡Jesús es nuestro Rey!" Ellos pusieron sus abrigos en el suelo por el camino y agitaban unas ramas de palma.

Jesús estaba contento de ver a la gente y estaba contento de que sus amigos le hubiesen traído el burro.

Cuando él entró a la ciudad, sanó a los enfermos y escuchó los gritos alegres de los niños también.

Pero Jesús también estaba triste. Él vio a los líderes a quienes no les caía bien y supo que pronto él tendría que enfrentarlos; aunque eso estaba bien, porque para eso había venido.

Recordemos juntos

¿Cómo se llamaba la ciudad adonde Jesús iba? ¿Qué le pidió Jesús a dos de sus ayudantes que hicieran? ¿Los ayudantes tomaron una buena decisión o una mala decisión? ¿ Cómo dio la bienvenida el pueblo a Jesús? ¿Por qué estaba triste Jesús?

Piensa en TUS decisiones

¿Alguna vez tú tuviste que hacer algo, pero no entendías por qué tenías que hacerlo?

¿Cómo sabes que está bien hacer algo? (Está bien si es algo que Dios te pide que hagas, como ser amable, confiado, obedeciendo a los padres, maestros, etc.)

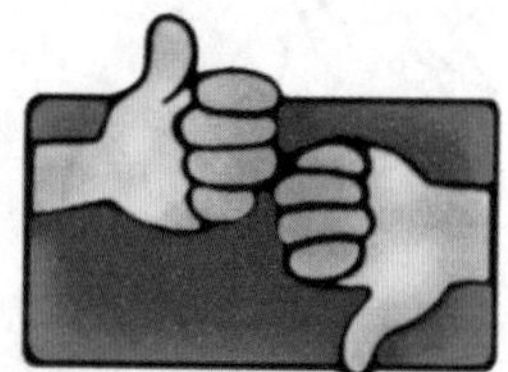

Actividad

Actúa una historia de la Biblia, finge ser ayudante de Jesús. Vas a buscar un burro; pon tu abrigo sobre el burro, agita las palmas de las ramas y aclama a Jesús.

Tú te preguntarás porqué Jesús quiere ir a Jerusalén, donde no le cae bien a algunas personas.

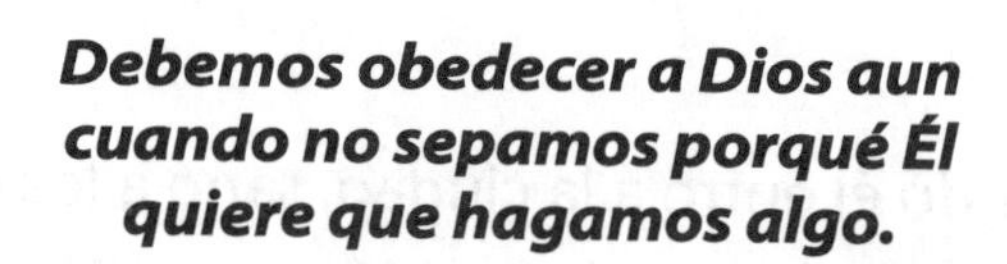

Debemos obedecer a Dios aun cuando no sepamos porqué Él quiere que hagamos algo.

Oremos juntos

Querido Dios, queremos hacer lo que está bien, aun cuando no lo entendemos todo.

En el nombre de Jesús oramos. Amén.

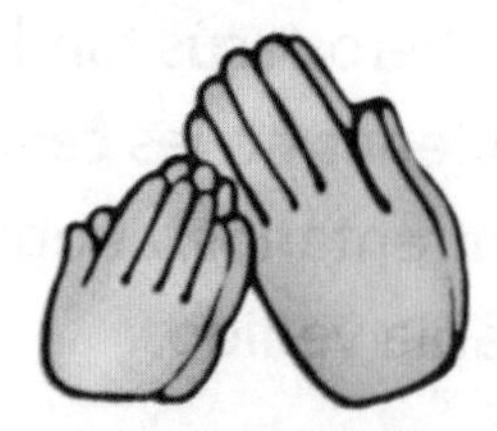

Sólo dos pequeñas monedas

Lucas 21:1-4

DECISIÓN: ¿Una mujer pobre da su dinero para la obra de Dios? O ¿Se lo queda para ella?

Al estar Jesús sentado en el Templo, Él miraba a la gente ir y venir. Algunos eran viejos; algunos jóvenes; algunos ricos. Ellos usaban vestidos elegantes y tenían anillos en sus dedos.

Algunos eran pobres; usaban ropas viejas y no tenían anillos para sus dedos. Pero la gente quería ir al Templo a alabar a Dios.

La gente también quería dar dinero para la obra de Dios. Había un jarrón sólo para juntar el dinero.

Jesús se sentó cerca de allí una vez. Sus ayudantes estaban con Él.

Jesús y sus ayudantes observaban mientras la gente rica se acercaba a ofrendar. Todos ellos tenían monedas en sus bolsas de dinero. Sacaron muchas monedas de sus bolsas y pusieron el dinero en el jarrón para las ofrendas. Pero, a ellos aún les sobraba mucho dinero.

La gente rica probablemente miraba alrededor para ver si alguien los estaba mirando. Luego, ellos dejaban caer sus grandes monedas en el jarrón: ¡uno, dos, tres, cuatro, cinco, seis, siete, ocho, nueve, diez! Todos deben haber sonreído al ver a la gente rica dar tanto dinero. La gente rica sonrió también. Ellos todavía tenían mucho dinero en sus bolsas. Así es que dar mucho, les había costado poco dinero.

Luego, Jesús y sus ayudantes vieron entrar a la mujer pobre. Ella estaba completamente sola y vestía ropas viejas. Ella metió la mano en su bolsa de dinero y contó sus monedas: uno, dos.

Dos pequeñas monedas era todo lo que tenía.

Ahora la mujer pobre tenía que tomar una decisión importante. Ella podría poner sus dos pequeñas monedas en la ofrenda para la obra de Dios. Luego, ella debía confiar en Dios para que cuidara de ella. Ó ella podría conservar el dinero que tenía y gastarlo luego en algo que necesitaba.

Esto es lo que la mujer hizo. Ella se acercó al jarrón para la ofrenda sin mirar alrededor, como lo hicieron los ricos. Ella no esperaba que nadie la viera. Calladamente ella puso sus dos pequeñas monedas en el jarrón.

Pero alguien estaba mirando. ¡Era Jesús! Él habló con sus ayudantes sobre el regalo que la mujer pobre le dio a Dios. Jesús dijo que su pequeño regalo era mucho mejor que los grandes regalos de la gente rica.

¿Por qué dijo Jesús eso? Jesús les dijo a sus ayudantes que la gente rica dio sólo un poquito de su dinero, pero que la mujer amaba a Dios tanto que ella dio todo lo que tenía. Ése era el mejor regalo.

Dios estaba complacido de que la mujer quisiera darle lo que ella tenía para su obra.

Dios cuidó de ella. La mujer debe haber estado contenta por haber dado su dinero para ayudar con la obra de Dios. Seguramente ella sabría que había hecho lo que era bueno, y eso la hizo muy feliz.

Recordemos juntos

¿Por qué había un jarro de ofrenda en el Templo? Cuando la gente rica dio dinero, ¿qué les quedaba en su bolsa de dinero? Cuando la mujer pobre dio dinero, ¿qué le quedaba?

¿La mujer tomó una buena decisión o mala decisión? ¿Por qué fue la ofrenda de la mujer, el mejor regalo?

Piensa en TUS decisiones

¿Cuáles son algunas cosas que te gusta comprar con tu dinero? ¿Te aseguras de que haya dinero para la obra de Dios primero? ¿Qué otros regalos puedes darle a Dios aparte del dinero?

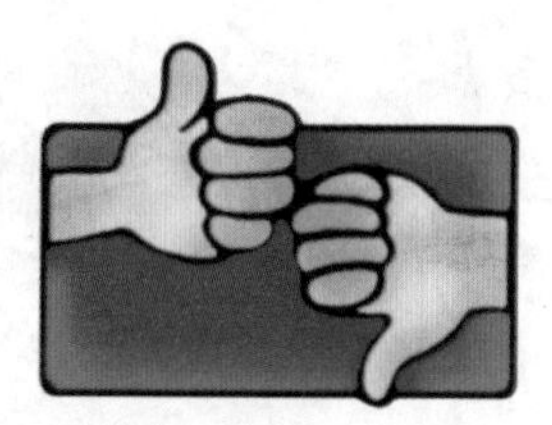

Actividad

Haz un plan para ganar dinero de alguna manera como reciclar, trabajar en el jardín, o ayudar con las tareas extra. Decide dar todo el dinero para ayudar con la obra de Dios: iglesia, misiones, almacén de alimentos, etc. ¿Qué sientes al hacerlo?

A Dios le complace cuando nosotros damos lo que podemos para su obra.

Oremos juntos

Querido Dios, ayúdanos a elegir dar generosamente porque ¡Tú nos has dado tanto!
En el nombre de Jesús. Amén.

¿Quién es el siervo?

Lucas 22:7-13; Juan 13:1-17

DECISIÓN: ¿Jesús ayuda a otros? O ¿Les pide a los demás que le ayuden a él?

Jesús enseñó en el templo o en la calle toda la semana. Gigantescas multitudes vinieron a escucharlo. Algunas de las personas querían que Él sea el rey, pero a algunos de los líderes no les gustaba Jesús. Ellos hacían planes para deshacerse de Él.

Un día Jesús hizo que dos de sus ayudantes, Pedro y Juan, prepararan una habitación.

Era una habitación en lo alto de una casa. Jesús quería tener una cena especial con sus ayudantes

solamente, los discípulos. Esta era una fiesta especial para recordar a Moisés y el viaje de salida de Egipto. Todos comerían, conversarían y recordarían las historias sobre Moisés.

Al atardecer, Jesús y sus ayudantes se reunieron alrededor de la mesa en la habitación en el lugar alto. Probablemente todos estaban cansados y hambrientos, así que ellos se sentaron a comer de inmediato. Mientras comían, Jesús vio una batea y una toalla limpia. Éstas se usaban para lavar los pies de todos.

En tiempos Bíblicos, la gente siempre usaba sandalias. Así es que sus pies estaban calientes y sucios de caminar por las

calles polvorientas. Pero el lavado de pies era el trabajo de los sirvientes, no de los maestros y líderes. Jesús sabía eso.

Ahora, Jesús tenía que tomar una decisión importante. Él podría mostrarles a sus discípulos cómo ayudar a otros al lavarles los pies. Luego, ellos entenderían que Él vino a ayudarlos y ellos sabrían que Él quería que se ayudaran unos a otros. O Jesús podría dejar que los sirvientes lavaran los pies de todos como era la costumbre. Quizás Él sólo podría hablar acerca de ayudar a otros. Y Él podría decirles a Sus discípulos que ellos debían ser buenos ayudantes.

¿Qué hizo Jesús? Él se quitó Su túnica y sandalias. Luego, Él llenó la batea con agua. Y Él se envolvió una toalla grande alrededor de su cintura. Él se arrodilló al lado de uno de Sus ayudantes y le lavó los pies. Uno tras otro, Él lavó los pies de Sus discípulos.

Entonces, llegó a Pedro, quien dijo: "¡No! Tú no puedes lavar mis pies". Pedro pensaba que no estaba bien que Jesús estuviera trabajando así. Después de todo, Él era el maestro de los discípulos. Pero Jesús le dijo a Pedro: "Si deseas ser mi ayudante, tú debes permitirme ayudarte primero". Por eso, Pedro le permitió a Jesús lavar sus pies.

Cuando Jesús hubo terminado, Él se puso su túnica otra vez y se sentó a la mesa. Él dijo:

"Ahora ustedes han visto lo que es ayudar a otros. Yo he sido como un sirviente para ustedes. Yo no los he ayudado porque tenía que hacerlo. Lo hice porque los amo y quiero ayudarlos. Ustedes deben hacer lo que Yo he hecho. Ayúdense entre ustedes y a otros también".

Dios estaba contento de que Jesús les enseñara a Sus discípulos cómo ayudar a otros. Dios sabía que los discípulos estarían felices cuando ayudaran a otros.

Recordemos juntos

¿Por qué los discípulos tuvieron una comida especial? ¿Qué hizo Jesús para ayudar a Sus discípulos? ¿Jesús tomó una buena decisión o una mala decisión?

¿Por qué Pedro no quería que lavaran sus pies? ¿Qué les enseñó Jesús a Sus discípulos sobre ayudar a otros?

Piensa en TUS decisiones

¿Cuáles son algunas maneras en las que tú ayudas en casa? ¿en la escuela? ¿en la iglesia? ¿Ayudar es trabajo duro a veces? ¿A quién te pareces cuando ayudas a otros?

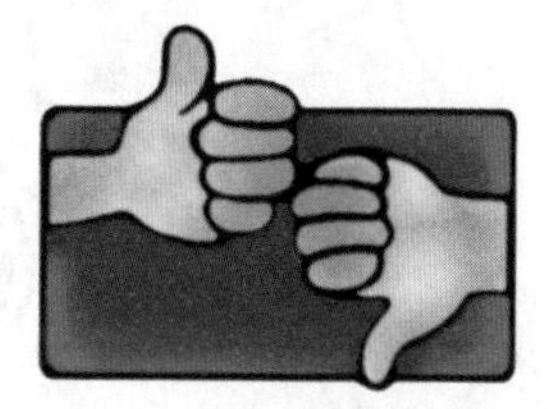

Actividad

Nuestros pies quizás no se llenen de polvo tanto, pero nuestras manos siempre se ensucian. Pregúntale a tu familia si pueden lavarse las manos unos a otros, por turnos.

Ayudar a otros
¡hace felices a todos!

Oremos juntos

Querido Dios, estamos contentos por todas las maneras en las que nos ayudas. Muéstranos las mejores maneras de ayudar a otros. En el nombre de Jesús. Amén.

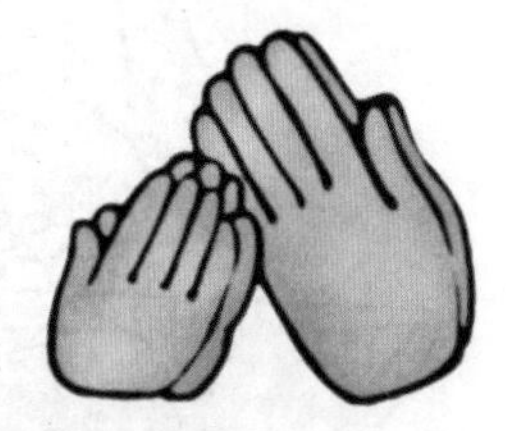

"Despierta"

Marcos ***14:26, 32-42***

DECISIÓN: ¿Son los discípulos amigos fieles en el jardín? O ¿Se duermen en vez de orar por Jesús?

Después de que Jesús y sus ayudantes comieron juntos, ellos cantaron una canción. Bajaron al primer piso y empezaron a caminar por el Jardín de Getsemaní. Jesús quería ir allí porque era un lugar callado para orar. Jesús sabía que lo que pronto tendría que enfrentar iba a ser muy difícil. Él quería hablar con Dios acerca de ello y quería que Sus mejores amigos estuvieran con Él.

Todos caminaron juntos al Jardín. Jesús les había dicho a Sus discípulos varias veces lo que iba a pasar, pero ellos no creían que alguien podría herir a Jesús. Ellos nunca permitirían que eso sucediera.

Jesús dejó a la mayoría de Sus discípulos a la entrada del jardín. Él llevó a Pedro, Santiago y Juan con Él, un poco más allá dentro del jardín. Ellos eran Sus mejores amigos.

Él les dijo: "Estoy muy, muy triste. Quédense aquí y vigilen mientras yo voy un poco más allá a orar".

Los tres discípulos deben haber sabido que era importante que ellos permanecieran despiertos. Era importante para ellos orar mientras Jesús oraba.

Ahora los discípulos tenían que tomar una decisión importante. Ellos podrían tratar de permanecer despiertos y mantener la vigilancia como Jesús les pidió que lo hicieran. Ellos podían orar a pesar de no saber las cosas tristes que estaban por ocurrir. O los ayudantes de Jesús podían cerrar sus ojos sólo por unos minutos. Ellos habían tenido una gran comida y ya era tarde y de noche. De todas maneras ¿qué cosas malas podrían pasar en el jardín?

Esto es lo que ellos hicieron: pronto todos los discípulos, incluyendo a Pedro, Santiago y Juan, estaban profundamente dormidos.

Mientras ellos dormían, Jesús hablaba con Dios, su Padre en el cielo. Él oraba: "Si es posible, llévate las cosas

tristes que están por venir, pero no es importante lo que yo quiera. Yo haré lo que Tú quieras que yo haga".

Jesús fue a ver a sus discípulos dos veces, pero ellos estaban dormidos las dos veces. "¿Están durmiendo?" les preguntó Jesús. "¿No pueden quedarse despiertos y orar?"

La tercera vez que Jesús regresó, los ayudantes de Jesús despertaron realmente. No era de mañana, pero una inmensa multitud venía hacia ellos. Los hombres tenían antorchas de fuego, espadas filudas, y grandes palos. Ellos

buscaban a Jesús. Ellos marcharon pasando al lado de los discípulos, a quienes de pronto se les fue el sueño. Era el comienzo de una larga noche sin dormir.

Dios sentía tristeza de que los discípulos no se hubieran quedado despiertos para orar.

Él deseaba que ellos hubiesen hecho lo que su Hijo Jesús les había pedido que hicieran, pero Dios estaba con los ayudantes de Jesús mientras se llevaban a Jesús. Y Dios también estuvo con Jesús toda la noche.

Recordemos juntos

¿Dónde fueron los discípulos después de comer? ¿Qué quería Jesús hacer allí? ¿Quiénes fueron más adentro del jardín con Él? ¿Qué les pidió Jesús que hicieran? ¿Los discípulos tomaron una buena decisión o una mala decisión?

Piensa en TUS decisiones

¿Con quién puedes contar realmente cuando necesitas ayuda? ¿Pueden otros confiar en ti de esa manera? ¿Puede Jesús contar contigo para que tú hagas lo que Él pide?

Actividad

Pídele a Jesús que te ayude a planear algo especial para que tú hagas para Él. Luego, trata de hacerlo todos los días de la semana. Quizás le dirás a Jesús cuánto lo amas. Quizás harás algo amable por uno de los amigos de Jesús. Asegúrate de hacer lo que has planeado ¡antes de ir a dormir todas las noches!

Nunca debemos cansarnos de hacer lo que Jesús desea que hagamos.

Oremos juntos

Querido Dios, ayúdanos a nunca darnos por vencidos de hacer las cosas que Jesús quiere que hagamos. En el nombre de Jesús oramos. Amén.

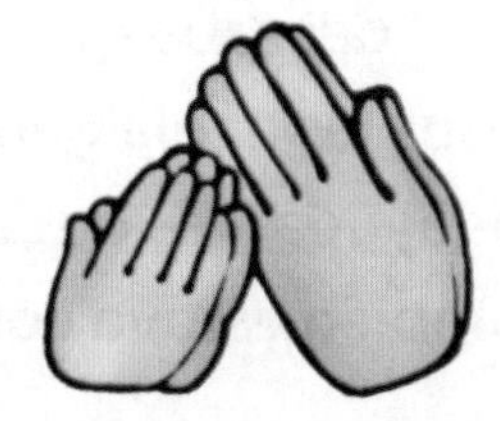

Cerca del fuego

Lucas ***22:54-62;*** *Juan* ***13:37-38; 18:10-11, 15-18, 25-27***

DECISIÓN: ¿Es Pedro suficientemente valiente para ser amigo de Jesús? O ¿Pedro finge que no conoce a Jesús?

Pedro era un buen discípulo. Escuchaba a Jesús y aprendía de él. Amaba mucho a Jesús.

Jesús sabía que Pedro lo amaba, pero también sabía que Pedro no era muy valiente. Justo después de que Jesús y sus ayudantes tuvieron su comida especial, Jesús habló con Pedro.

Jesús dijo: "Antes de que cante el gallo, tú me dirás tres veces que no me conoces".

Pedro estaba en estado muy impactado. Le dijo: "¡No! Yo nunca haría eso". Pedro pensó que él era valiente. Él nunca fingiría no conocer a su mejor amigo.

Luego, unos hombres vinieron al Jardín con sus antorchas de fuego, espadas filudas y grandes palos. Pedro trató de ser valiente al usar su espada filuda para herir a uno de los hombres, pero eso no era lo que Jesús quería que Pedro hiciera.

Todos los discípulos se fueron. Luego, Pedro quería estar cerca de Jesús para ver qué estaba sucediendo. Así es que fue al patio interno, cerca del lugar donde estaba Jesús.

Era una noche fría, y habían encendido un fuego en el patio. La gente estaba parada cerca del fuego conversando calladamente. Así es que Pedro caminó hasta el fuego para calentarse.

De pronto, una criada le dijo: "Tú no eres uno de los ayudantes de Jesús, ¿no?"

Ahora Pedro tenía que tomar una decisión importante. Él podría decirle a la chica y a todos los demás que él era ayudante de Jesús, pero quizás se metería en problemas. Alguien podría tratar de hacerle daño. O Pedro podría decir que él no era ayudante de Jesús. Entonces, él estaría seguro, y quizás Jesús nunca se enteraría de que él mintió.

Esto es lo que Pedro hizo: él tenía miedo, así es que dijo una mentira. Él dijo: "No, no soy ayudante de Jesús" y se fue de vuelta a calentarse al fuego.

Más tarde, alguien le dijo: "¿No eres tú uno de los discípulos de Jesús?

Pero, una vez más Pedro dijo: "No. No soy uno de los discípulos de Jesús".

Luego, un hombre dijo: "Estoy seguro de que te he visto con Jesús".

Y por tercera vez, Pedro dijo: "¡No! No conozco a ese hombre". En ese momento el gallo cantó.

Pedro de pronto recordó las palabras de Jesús. Justamente como Jesús había dicho, Pedro fingió tres veces que él no conocía a Jesús.

Luego, Jesús lo miró a Pedro, quien no podía haberse sentido peor. Pedro escondió su cara en su ropa y se fue corriendo del lugar donde estaba Jesús. Él lloró y lloró.

Jesús estaba triste también, pero Él sabía que un día Él hablaría con Pedro otra vez. Entonces, Pedro sabría cuánto lo amaba Jesús todavía; y Pedro aprendería a ser muy valiente.

Recordemos juntos

¿Qué dijo Jesús que Pedro haría antes de que cantara el gallo? ¿Cuántas veces dijo Pedro que no conocía a Jesús?

¿Pedro tomó una buena decisión o una mala decisión? ¿Cómo se sintió Pedro cuando canto el gallo? ¿Cómo se sintió Jesús?

Piensa en TUS decisiones

¿Qué harías si alguien se burlara de ti por ser amigo de Jesús? ¿Le pedirías a Jesús que te ayude a decir la verdad?

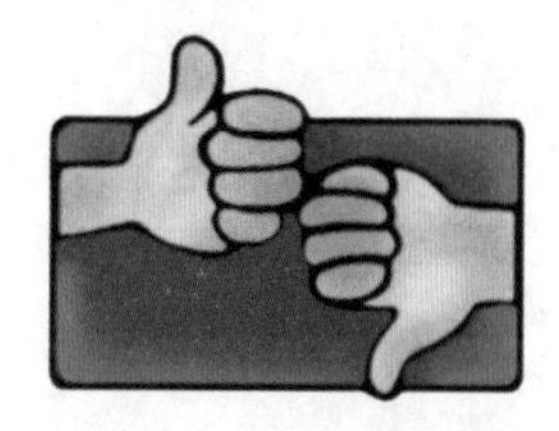

Actividad

En la oscuridad, enciende una linterna y menea tus dedos delante de la luz. Es como un fuego parpadeante. Deja que el "fuego" te recuerde que no debes hacer lo que Pedro hizo.

Nunca debemos tener miedo de decirles a las personas que somos amigos de Jesús.

Oremos juntos

Querido Dios, gracias por amarnos sin importar lo que hagamos. Ayúdanos a ser valientes y no tener miedo de decir que somos amigos de Jesús. En el nombre de Jesús. Amén.

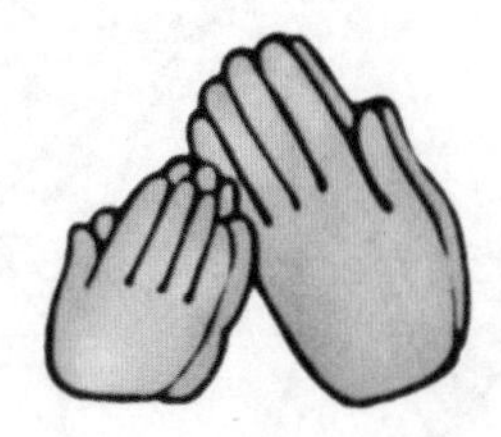

"¡Él era el Hijo de Dios!"

Mateo ***27:22-66;*** *Lucas* ***23:44-49;*** *Juan* ***19:1-30***

DECISIÓN: ¿Un soldado Romano cree que Jesús es el Hijo de Dios? O ¿Cree que Jesús no es nadie especial?

Jesús no había hecho nada malo, pero un gobernador romano escuchaba mientras la multitud gritaba, "¡Crucifíquenlo!".

La gente no creía que Jesús era el Hijo de Dios. Así es que querían ponerlo en una cruz, donde moriría. El gobernador podía ver que dejar a Jesús libre traería problemas. Así es que lo entregó a sus soldados.

Los soldados eran crueles con Jesús. Ellos se burlaban de él, y lo herían. Luego, le pusieron una corona de espinas en la cabeza y lo llevaron a una colina cerca de la ciudad. Ellos lo pusieron en una cruz hecha de dos piezas de madera.

Jesús dejó que los soldados le hicieran esas cosas. Él sabía que era el plan de Dios para él, morir en la cruz. Él llevaría la culpa de todas las cosas malas que la gente hace.

La gente se siguió burlando de Jesús. Ellos lo llamaban: "Rey de los Judíos". Los soldados romanos hicieron un juego para ver quién de ellos se llevaría su túnica.

La mamá de Jesús, María, y otras mujeres más se pararon cerca a la cruz. Juan, uno de los ayudantes de Jesús, estaba con ellas. Ellos estaban muy tristes de ver a Jesús en la cruz.

Luego, el cielo se oscureció, a pesar de que era el mediodía. Jesús se sintió solo y llamó a Dios. Él estaba cansado y sediento.

A media tarde, Jesús gritó: "¡Todo ha terminado!". Luego murió.

De pronto, la tierra empezó a temblar, y todos tenían miedo.

El soldado romano que estaba a cargo, había mirado a Jesús todo el día. Él no sabía quién era Jesús, pero podía entender que estaban ocurriendo cosas extrañas.

Ahora el soldado romano tenía que tomar una decisión importante. Él podría creer que Jesús era realmente el

Hijo de Dios y él podría decirle a todos lo que él creía. O él podría quedarse callado y olvidarse de lo que sucedió. Se hacía tarde. Quizás él podría entender todo esto otro día.

¿Qué hizo el soldado que estaba a cargo? Él miró arriba a la cruz y dijo: "Este hombre Jesús ¡era realmente el Hijo de Dios!"

Un hombre amable llamado José de Arimatea se llevó el cuerpo de Jesús y lo puso en una pequeña cueva en un jardín. Él hizo rodar una piedra delante de la abertura de la tumba en el jardín. Luego, los soldados vinieron a cuidar la tumba. Los líderes los enviaron para que nadie se pudiera llevar el cuerpo de Jesús.

El soldado que estaba a cargo de la cruz debía haberse sentido muy triste por lo que pasó.

Dios estaba triste por lo que sucedió también, pero Dios sabía que ¡Jesús no se iba a quedar en la tumba! Y Dios sabía que el soldado creía. Él creía en el Hijo de Dios. Dios estaba contento de que el soldado dijera lo que él creía.

Recordemos juntos

¿Por qué quería la gente que Jesús sea puesto en una cruz para morir? ¿Qué cosas extrañas pasaron a la mitad del día? ¿Qué dijo sobre Jesús el soldado romano que estaba a cargo?
¿El soldado romano tomó una buena decisión o una mala decisión?

Piensa en TUS decisiones

Dios quiere que todos crean en su Hijo Jesús.
¿Cómo supiste que Jesús era el Hijo de Dios?
¿Crees que Jesús murió por ti?

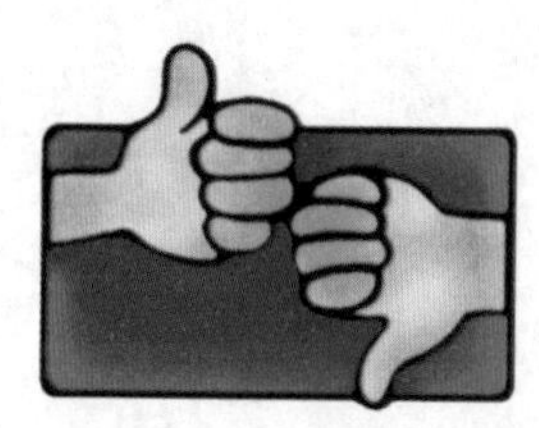

Actividad

Haz un dibujo mostrando a la gente que estaba alrededor de la cruz. Dibuja caras simples para mostrar cómo se sentían ellos. Luego, agrégate tú a la figura. Muestra cómo te sientes y dile a alguien lo que le habrías dicho a Jesús ese día.

Decidir creer que Jesús es el Hijo de Dios, es la mejor decisión que alguien puede hacer.

Oremos juntos

Querido Dios, gracias porque podemos creer en Jesús, Tu Hijo. En su nombre. Amén.

Temprano en la mañana

Mateo ***28:1-10****; Lucas* ***24:9-10***

> **DECISIÓN:** ¿María y sus amigos les dicen a los discípulos acerca de los ángeles? O ¿Simplemente regresan a su casa?

Cuán tristes estaban los ayudantes de Jesús, los discípulos. Era temprano el domingo por la mañana. Parecía que había pasado largo tiempo desde el jueves en la noche. Esa noche habían cenado con Jesús. Ellos sabían que habían huido cuando Él más los necesitaba. Y el viernes Jesús murió en la cruz. Ahora sus discípulos se sentían solitarios y temerosos.

Temprano ese mismo domingo, una de las amigas de Jesús, llamada María, despertó.

Ella se vistió rápidamente y agarró su canasta de especias. En puntas de pie, ella salió de su casa cuando todavía estaba oscuro. Ella se encontró con otras mujeres, y juntas caminaron fuera de la ciudad de Jerusalén. Ellas regresaban a la tumba en el jardín para ponerle especias al cuerpo de Jesús.

Al acercarse a la tumba, ellas se preguntaban cómo harían rodar la gran piedra que había en la entrada, pero ellas no tuvieron que preguntarse eso por mucho tiempo.

De pronto, la tierra empezó a temblar. Con gran ruido, un ángel apareció e hizo rodar la piedra. Luego, él se sentó sobre ella. Los guardias tenían tanto miedo que se cayeron. Ellos quedaron en el suelo como si estuvieran muertos.

María y sus amigas tenían miedo también, pero el ángel les dijo: "No tengan miedo. Yo sé que están buscando a Jesús. La última vez que ustedes lo vieron Él estaba muerto, pero ahora Él está vivo otra vez, así como Él dijo que sucedería. Vengan a ver por ustedes mismas que Él ya no está aquí.

Entonces corran rápido y díganles a los discípulos que Jesús está vivo. Díganles a ellos que vayan a Galilea y que vean a Jesús allá".

María y sus amigas empezaron a correr, pero luego ellas se detuvieron. ¿Alguien les creería?

Ahora las mujeres tenían que tomar una decisión importante. Ellas les podrían decir a los ayudantes de Jesús lo que el ángel les dijo. Las mujeres podrían decirles que Jesús estaba vivo. Les podrían decir a los hombres que ellos lo podrían ver en Galilea. O las mujeres se podrían ir silenciosamente a su casa. Quizás los discípulos no les creerían de todas maneras.

¿Qué hicieron las mujeres? Ellas se detuvieron sólo por un momento, pero en ese momento ¡Jesús mismo se les apareció! "No tengan miedo. Vayan y díganles a los otros que me encuentren en Galilea".

Ahora, las mujeres corrieron tan rápido como las piernas se lo permitieron. Ellas les dijeron a Pedro y a todos los discípulos que ¡todo era cierto! ¡Jesús estaba vivo! Y ellos lo podrían ver en Galilea.

Dios se regocijó porque Su Hijo Jesús, estaba vivo otra vez. Él se regocijó con las mujeres que vieron la tumba vacía. Y se regocijó con los ayudantes de Jesús, cuando ellos supieron de las buenas noticias que trajeron las mujeres.

Recordemos juntos

¿Cuándo fueron las mujeres al jardín? ¿Qué les dijo el ángel que las mujeres debían hacer? ¿Las mujeres tomaron una buena decisión o una mala decisión? ¿Qué les dijeron las mujeres a los ayudantes de Jesús?

Piensa en TUS decisiones

¿Alguna vez has recibido una noticia que era tan buena que casi no lo podías creer?

¿Le contaste la buena noticia a alguien más? La noticia sobre el regreso de Jesús a la vida ¡es la mejor noticia de todas! ¿Te gustaría contarle a alguien sobre eso?

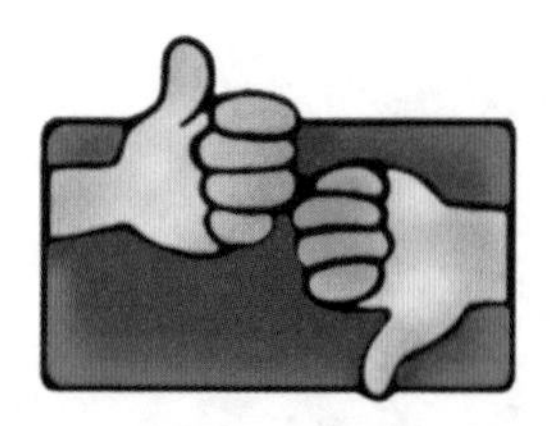

Actividad

Elige levantarte temprano una mañana para alabar a Dios en la primera luz del día. Si está caliente fuera, tú y tu familia pueden salir en la mañana a cantar y orar.

La mejor noticia que podemos compartir es la noticia de que Jesús está vivo.

Oremos juntos

Querido Dios, ¡Jesús está vivo! ¡Viva! Estamos tan contentos de habernos enterado de la noticia y queremos que todos lo sepan también. Oramos en el nombre de Jesús. Amén.

"Tengo que ver"

Juan 20:19-31

DECISIÓN: ¿Tomás les cree a sus amigos cuando le dicen que Jesús está vivo? O ¿Tiene que ver a Jesús por sí mismo?

¿Podía Jesús realmente estar vivo de nuevo? Jesús quería que Sus discípulos supieran que era cierto. Así es que Él fue a ellos el mismo primer domingo en la noche después de haber venido a la vida.

Los discípulos estaban juntos en un pequeño cuarto y las puertas estaban con llave. Ellos todavía tenían miedo de los líderes que habían puesto a Jesús en la cruz. De pronto, Jesús aparece parado con ellos, ¡a pesar de que nadie había abierto la puerta! Él dijo: "Paz sea con ustedes".

¡Cuán feliz estaban los ayudantes de Jesús de ver a Jesús otra vez! Era realmente cierto. Sí, ¡Jesús estaba vivo!

Un discípulo no estaba en el pequeño cuarto cuando Jesús vino. Su nombre era Tomás. Luego, los otros discípulos vieron a Tomás y le dieron la buena noticia. Le dijeron: "¡Hemos visto a Jesús!" Ellos le dijeron a Tomás cómo Jesús había estado allí con ellos y le dijeron lo que Jesús había dicho.

Ahora Tomás tenía que tomar una decisión importante. Él podría creerles a los otros discípulos y sentirse contento de que Jesús estuviera vivo. O él podría decir que no creía la buena noticia. Después de todo, para él era difícil creer porque no lo había visto él mismo.

Este es lo que Tomás hizo. Él dijo: "No voy a creer que es cierto a no ser que yo mismo vea a Jesús".

Una semana después, los discípulos estaban en el pequeño cuarto otra vez. Esta vez Tomás estaba allí. Una vez más las puertas estaban con llave y una vez más Jesús apareció de pronto, parado junto a ellos, a pesar de que nadie había abierto la puerta.

Jesús dijo: "La paz sea con ustedes". Jesús llamó a Tomás y lo invitó no sólo a que lo viera, sino también a que lo tocara. Entonces, Tomás creyó que era cierto. Jesús realmente estaba vivo.

Dios estaba triste porque Tomás no había creído que Jesús estaba vivo hasta que vio a Jesús, pero Dios amaba a Tomás y estaba contento de que él creyera finalmente.

Recordemos juntos

¿Quién no estaba con los discípulos la primera vez? ¿Por qué le era difícil a Tomás creer que Jesús estaba vivo?

¿Tomás tomó una buena decisión o una mala decisión? ¿Cómo ayudó Jesús para que Tomás creyera?

Piensa en TUS decisiones

Nadie puede ver a Jesús hoy, así es que ¿qué puede hacerte creer que Jesús está vivo? (historias Bíblicas, la oración, la fe)

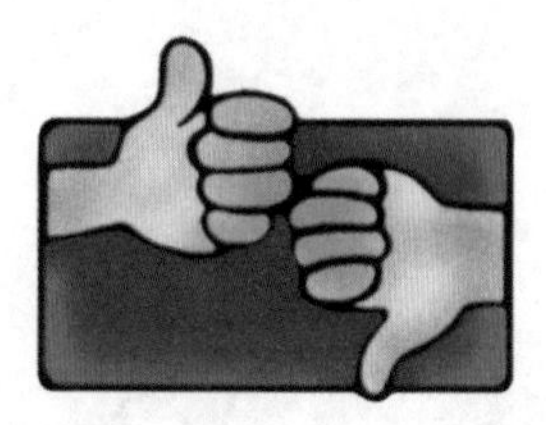

Actividad

Párate cerca de una ventana abierta y describe el viento. ¿Es un día con viento o calmado? ¿Puedes ver el viento? ¿Cómo sabes que está allí? Finge que no crees que haya algo que se llama viento. Pídele a un familiar tuyo que te ayude a creer en ello. Luego, tomen turnos ayudándose unos a otros a creer que Jesús está vivo.

Dios se complace cuando nosotros creemos que su Hijo Jesús está vivo.

Oremos juntos

Querido Dios, estamos contentos de que tu Palabra diga que Jesús está vivo. Gracias por ayudarnos a creer. En el nombre de Jesús. Amén.

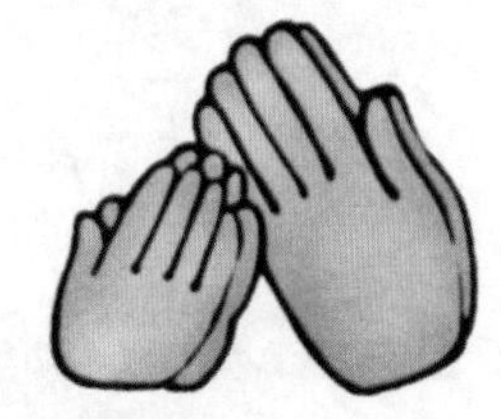

“Alimenta a mis ovejas”

Juan 21:1-17

DECISIÓN: ¿Pedro le dice a Jesús que lo ama? O ¿No dice nada?

Después de que Jesús volviera a la vida, Sus discípulos no estaban seguros de lo que debían hacer. Un día Pedro le dijo a algunos de los discípulos: “Me voy a pescar”. Los otros dijeron que irían con Pedro. Ellos volverían a su antiguo trabajo como pescadores. Así es que sacaron sus viejos botes y viejas redes.

Luego, ellos remaron adentrándose en el agua. Muy pronto, ellos estaban pescando como acostumbraban a hacerlo antes.

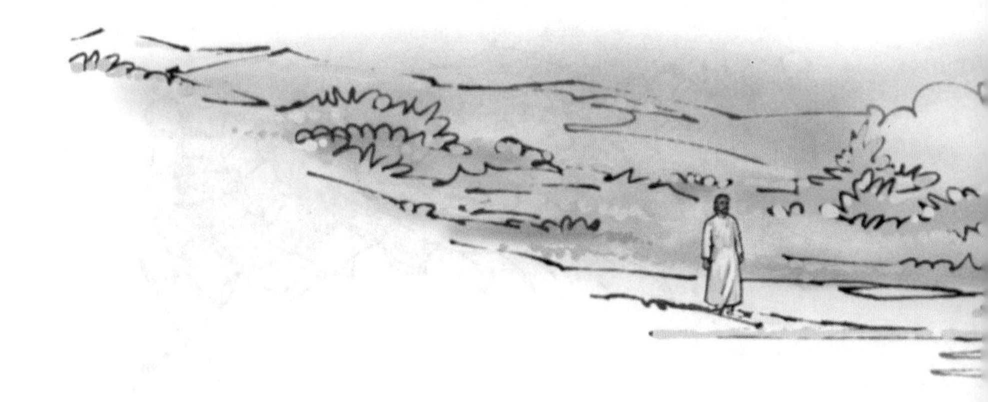

La mejor hora para pescar era en la noche, pero esa noche los discípulos no pescaron ni siquiera un pez.

Temprano a la mañana siguiente, ellos vieron a alguien en la playa. Pensaron que era un forastero. El hombre les dijo: "¿No han pescado nada todavía?"

Los pescadores respondieron: "¡No! Nada todavía".

El hombre en la playa dijo: "Tiren la red al agua otra vez. Pónganla en el agua al lado derecho de su bote. Entonces, atraparán algunos peces".

Los discípulos hicieron eso y la red se llenó tanto de peces que no pudieron sacarla.

Luego, Juan le dijo a Pedro: "¡Es Jesús!"

Pedro miró hacia arriba; ¡realmente era Jesús! Pedro estaba tan contento que saltó del bote y nadó todo el camino hacia la orilla. Los otros discípulos vinieron detrás de él en el bote.

Jesús vio a Pedro nadando hacia Él y recordó la noche cuando Pedro dijo tres veces que no conocía a Jesús. Ahora Jesús quería que Pedro le dijera tres veces que él lo amaba.

Así es que después de darle a Pedro y a los otros el desayuno en la playa, Jesús habló con Pedro. Él le hizo a Pedro una pregunta, y le preguntó tres veces.

"Pedro, ¿me amas?" le preguntó Jesús.

Ahora Pedro tenía que tomar una decisión importante. Él podría decirle a Jesús cuánto lo amaba. Él lo podría decir delante de sus amigos. O Pedro se podría quedar callado.

Quizás Jesús de todas maneras no le creería. ¿Había Jesús realmente perdonado a Pedro por fingir que no lo conocía? Esto es lo que Pedro contestó, él dijo: "Sí Señor, tú sabes que te amo".

Jesús dijo: "Alimenta mis ovejitas". Las ovejas de las que hablaba Jesús, eran en realidad personas.

Jesús le estaba diciendo a Pedro que Él quería que les dijera a los demás acerca del amor de Dios. Jesús le preguntó por segunda vez: "Pedro, ¿me amas?" Nuevamente Pedro le contesta: "Sí Señor, tú sabes que te amo". Y nuevamente Jesús dijo: "Alimenta mis ovejas". Jesús le preguntó a Pedro por tercera vez: " ¿Realmente me amas?" Pedro dijo: "Señor, tú lo sabes todo. Tú sabes que te amo".

Una tercera vez Jesús contestó: "Alimenta mis ovejas". ¡Qué día tan feliz era para Pedro en la playa! Él sabía que Jesús lo amaba y que Jesús quería su amor también. Jesús también quería que Pedro siguiera siendo su ayudante.

Recordemos juntos

¿Cómo ayudó Jesús a sus discípulos con su pesca? ¿Quién nadó a la orilla? ¿Qué le preguntó Jesús a Pedro? ¿Qué le contestó Pedro?

Pedro tomó una buena decisión o una mala decisión?

Piensa en TUS decisiones

¿Alguna vez alguien te ha perdonado por algo por lo cual te sentiste muy mal cuando lo hiciste?

¿Cómo te sentiste al saber que esa persona todavía te amaba?

Cuando haces cosas malas, ¿Jesús todavía te ama? ¿Tú le dices a Él que lo amas?

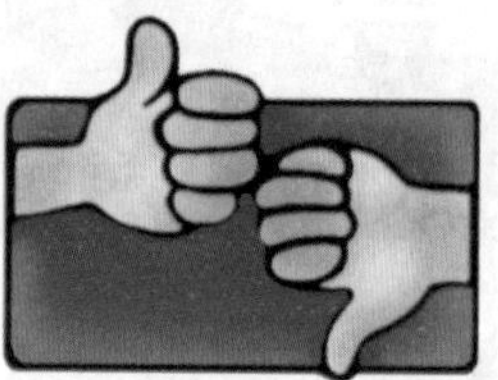

Actividad

Hazle saber a Jesús que lo amas, cantándole una canción. Quizás desees crear una canción.

Por ejemplo, puedes cantas: "Jesús, te amo. Tú sabes que de verdad te amo".

Si lo deseas, cántalo usando el coro de "Jesús Me Ama".

Si amamos a Jesús, ¡debemos decírselo!

Oremos juntos

Gracias, Jesús, por Tu amor. Tú lo sabes todo de mí, al igual que sabías todo lo de Pedro; y me amas a mí al igual que amaste a Pedro. ¡Yo también te amo! Amén.

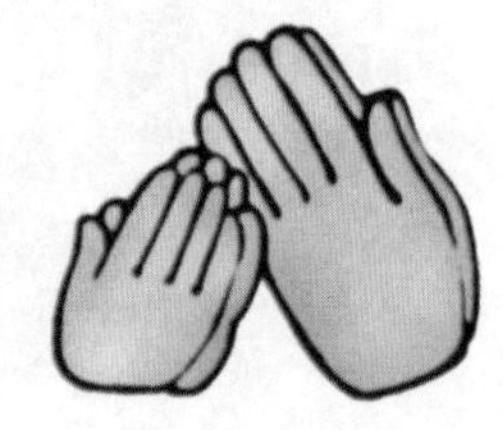

¡Todos pueden entender!

Mateo ***28:16-20****; Hechos* ***1-2***

DECISIÓN: ¿Se ha vuelto Pedro tan valiente como para predicar de Jesús a una gran multitud? O ¿Él espera a que algún otro lo haga?

Era ya tiempo para que Jesús regresara a Dios al cielo. Antes de que Jesús se fuera, Él prometió que seguiría con sus seguidores para siempre. Luego, Jesús dijo: "Esperen aquí, y Dios enviará a Su Espíritu Santo. Él los hará valientes y los ayudará a decirle a todo el mundo sobre mí".

Jesús subió directamente a las nubes y los discípulos ya no podían verlo. Luego, ellos esperaron por el Espíritu Santo de Dios en la ciudad de Jerusalén. La gente que amaba a Jesús se reunió a orar.

Finalmente, una mañana ellos escucharon el ruido de un fuerte viento pasando rápido alrededor de ellos. Algo que parecía fuego bajó sobre cada uno de ellos, pero no los quemó. Cuando ellos empezaron a hablar, ellos podían hablar todo tipo de ¡idiomas diferentes! Mucha gente de muchos lugares diferentes estaban en la ciudad ese día y todos ellos podían entender a los discípulos de Jesús.

Pedro miró a la gran multitud de gente. ¡Qué maravilloso momento para decirles a un montón de gente sobre Jesús!

Ahora, Pedro tenía que tomar una decisión importante. Él podría ser valiente y predicarle a toda esta gente. Jesús le había dicho a Pedro que le dijera a la gente sobre Él. Así es que Pedro sabía que era el tiempo correcto para hacerlo. O Pedro podría fingir que no sabía nada sobre Jesús, como lo había hecho antes. Él podía esperar que otro predicara.

¿Qué hizo Pedro? Él habló fuerte a la gran multitud; él no tenía miedo. El Espíritu Santo de Dios lo hizo valiente y le dio las palabras correctas.

Pedro le contó a la gente todo acerca de la vida de Jesús. Luego, él les contó cómo Jesús murió y vino a la vida nuevamente. Pedro dijo: "Siéntanse mal por todas las cosas malas que hacen. Jesús les perdonará sus pecados". ¡Cerca de tres mil personas creyeron lo que Pedro dijo sobre Jesús!

Dios estaba contento de que Pedro haya sido valiente. Dios estaba complacido de que Pedro predicara sobre Jesús.

Recordemos juntos

Antes de que Jesús fuera al cielo, ¿qué les dijo a sus discípulos que hicieran?

Después de que vino el Espíritu Santo, ¿qué hizo Pedro? ¿Pedro tomó una buena decisión o una mala decisión?

Piensa en TUS decisiones

¿Puedes nombrar a algunas personas que te enseñan sobre Jesús? ¿A quiénes puedes enseñarle sobre Jesús? ¿Quién te dará las palabras que debes decir?

Actividad

Haz una bonita figura para alguien, imprimiendo estas palabras en letras grandes: ¡JESÚS TE AMA!

¿Quieres hacer cada letra de color diferente? Quizás también puedas imprimir estas palabras en otro idioma. Dale la figura a alguien que entienda el idioma.

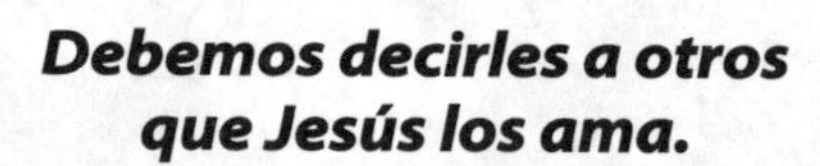

Oremos juntos

Querido Dios, oramos por las palabras correctas para poder decirles a otros sobre el amor de Jesús. En el nombre de Jesús. Amén.

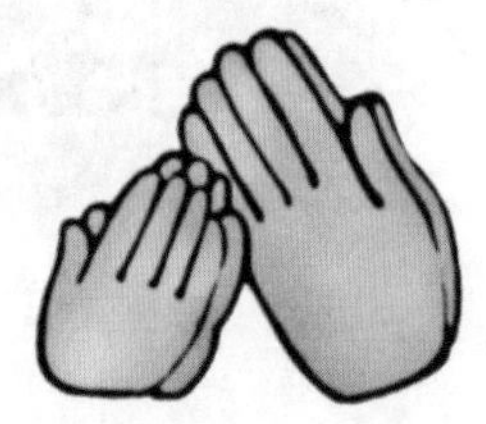

En el camino

Hechos 9:1-22

DECISIÓN: ¿Pablo deja de hacer lo que es malo? O ¿Continúa haciendo cosas malas?

Pablo era un líder que conocía la ley de Dios, pero él no conocía a Jesús. Pablo había oído sobre Jesús, pero él no creía que Jesús era el Hijo de Dios. Así es que Pablo pensó que estaba mal amar a Jesús.

Pablo se dio a sí mismo el trabajo de buscar a la gente que amaba a Jesús. Cuando él los encontró, los puso en la cárcel. Él creía que estaba haciendo algo bueno.

Un día Pablo iba camino a Damasco. Iba para allá a buscar más gente que amaba a Jesús. Él los hacía meter a la cárcel. De pronto, una gran luz brilló en el cielo. Pablo se cayó. Luego, él escuchó una voz que decía: "Pablo, ¿por qué me haces daño?"

Pablo preguntó: "¿Quién eres tú?"

"Yo soy Jesús. Yo soy al que estás hiriendo". Jesús había ido al cielo y Él era verdaderamente el Hijo de Dios. Él quería que Pablo supiera eso. Cuando Pablo hería a la gente que amaba a Jesús, él hería a Jesús también. Eso era algo que Jesús quería que Pablo supiera.

Cuando Pablo trató de levantarse, se dio cuenta de que no podía ver nada. Así es que los hombres que estaban con él lo llevaron de la mano. Ellos lo llevaron a Damasco.

Pablo se quedó por tres días en una casa en la calle llamada Derecha. Él no podía ver nada. Sin embargo, él podía orar y ¡lo hizo!

Luego, un hombre que amaba a Jesús vino a la casa donde estaba Pablo. El hombre dijo: "Jesús me ha enviado para ayudarte a ver otra vez". Luego, el hombre puso sus manos sobre Pablo. Pablo pudo ver de inmediato.

Ahora, Pablo tenía que tomar una decisión importante. Él podría creer que Jesús era el Hijo de Dios. Que estaba mal poner a los amigos de Jesús en la cárcel. Y podría dejar de hacer lo que estaba mal. O Pablo podría seguir creyendo que Jesús no era el Hijo de Dios y podría seguir poniendo a los amigos de Jesús en la cárcel.

¿Qué hizo Pablo? ¡Él decidió ser uno de los ayudantes de Jesús! Él habló por varios días con los amigos de Jesús en Damasco y empezó a predicar que Jesús era el Hijo de Dios.

La gente estaba sorprendida de ver cómo había cambiado Pablo. Pablo ya no ponía a los amigos de Jesús en la cárcel. Él le enseñaba a más gente a creer en Jesús ¡y a amarlo!

Dios estaba contento de que Pablo había dejado de hacer cosas malas. Y Pablo estaba contento de que finalmente sabía quién era Jesús realmente.

Recordemos juntos

¿Qué le hacía Pablo a la gente que amaba a Jesús? ¿La voz de quién estaba en la luz brillante? ¿Qué pasó con los ojos de Pablo? ¿Pablo tomó una buena decisión o una mala decisión? ¿Qué hizo Pablo por el resto de su vida?

Piensa en TUS decisiones

¿Alguna vez has cambiado de opinión acerca de alguien? ¿Qué te ayudó a que cambiaras de opinión? ¿Aprendiste a conocer mejor a la persona? ¿Cómo puedes aprender a conocer mejor a Jesús?

Actividad

Cubre tus ojos y finge ser Pablo. Haz que alguien te guíe a un lugar donde puedes sentarte por un rato. Luego, pídele a Jesús que te ayude a "ver" algunas de las cosas malas que has estado haciendo. Pídele que te ayude a dejar de hacer esas cosas.

Demostramos que amamos a Jesús cuando dejamos de hacer cosas malas.

Oremos juntos

Querido Dios, gracias por ayudarnos a saber la diferencia entre lo bueno y lo malo. Enséñanos a hacer lo que es bueno. En el nombre de Jesús. Amén.

Una cálida bienvenida

Hechos ***16:6-15***

> **DECISIÓN:** ¿Lidia ayuda a los que trabajan con Dios? O ¿Está muy ocupada?

Después de que Pablo supiera quién era Jesús, él viajó por todo el mundo. Él quería que todos supieran sobre Jesús.

Una noche Pablo tuvo un sueño especial. Él vio a un hombre que vivía en Grecia. El hombre le pedía a Pablo que por favor fuera a ayudar a la gente allá. Así es que al siguiente día Pablo se subió a un bote y se fue a Grecia. Sus amigos Silas, Timoteo, y Lucas fueron con él. Ellos navegaron por un día. Luego, ellos caminaron a una gran ciudad.

Un día caminaban junto a un río cerca de la ciudad. Ellos esperaban encontrar gente cerca del río. Era el día especial de Dios y ellos querían orar con el pueblo de Dios.

Algunas mujeres estaban sentadas cerca del río, así es que Pablo y sus amigos se sentaron con ellas. Pablo les contó acerca de Jesús. Él les dijo que el Hijo de Dios, Jesús, las amaba mucho.

Una mujer se llamaba Lidia. Ella tenía su propio negocio; vendía telas de púrpura a la gente.

Lidia conocía y oraba a Dios, pero ella no sabía quién era Jesús. Mientras Pablo hablaba, Dios le ayudaba a creer en las palabras de Pablo. Ella supo entonces que Jesús era el Hijo de Dios.

Lidia pidió para ser bautizada. Esto haría que todos supieran que ella creía en Jesús.

No mucho después, ¡todos en la casa de Lidia se bautizaron!

Ahora, Lidia tenía que tomar una decisión importante. Ella podría dejar que los que trabajaban con Dios se quedaran en su casa. Luego, podría escuchar más sobre Jesús y su amor por ella. Otra gente en la ciudad también podría escuchar sobre Jesús. O Lidia podría decirles adiós a Pablo y sus amigos. Les podría decir cuán ocupada estaba con su negocio.

¿Qué hizo Lidia? Ella invitó a que Pablo se quedara en su casa. Muchas otras personas supieron de Jesús gracias a Lidia.

Dios estaba contento de que Lidia les diera la bienvenida a sus ayudantes. Cuando ella hizo eso, Lidia se volvió una ayudante de Dios también y eso hizo que Lidia se sintiera muy bien.

Recordemos juntos

¿Por qué Pablo y sus amigos caminaron al lado del río?

¿Quiénes eran las personas que ellos encontraron por el río? ¿Qué aprendió Lidia de Pablo? ¿Cómo se volvió Lidia ayudante de Dios? ¿Lidia tomó una buena decisión o una mala decisión?

Piensa en TUS decisiones

A veces los niños, al igual que los adultos, están muy ocupados para hacer lo que Dios quiere que hagan. ¿Cuáles son algunas cosas que te mantienen ocupado? ¿Qué cosas quieres hacer y deseas asegurarte de que no estés demasiado ocupado para hacerlas?

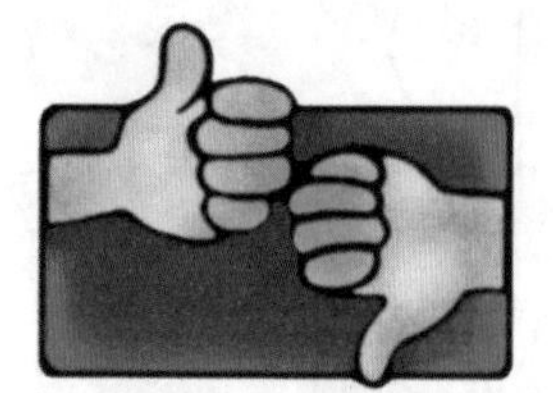

Actividad

Consigue una hoja para dibujar o una lista de palabras. Menciona las cosas por hacer, para las que vas a tener tiempo todos los días. También muestra lo que harás si tienes tiempo que te sobre.

Siempre es bueno encontrar tiempo para ser ayudantes de Jesús.

Oremos juntos

Querido Dios, ayúdanos a nunca estar demasiado ocupados para ayudarte. Te amamos.
En el nombre de Jesús. Amén.

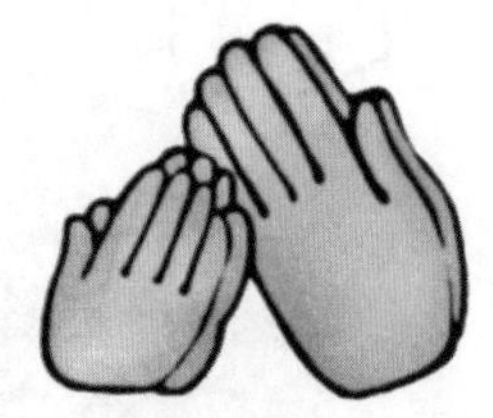

Cantando en la cárcel

Hechos ***16:16-36***

DECISIÓN: ¿Confía Pablo en Dios cuando es difícil hacerlo? O ¿Confía en Dios sólo cuando es fácil?

A mucha gente le gustaba lo que Pablo decía y ellos aprendieron a creer en Jesús, pero algunas personas no podían entender del amor de Jesús. Ellos, en lugar de eso, querían ser poderosos y ricos. Lo que Pablo decía sobre Jesús, los alteraba.

Un día, unos hombres agarraron a Pablo y su amigo Silas. Ellos hicieron que los dos fueran a la cárcel.

¿Por qué? Para que Pablo y Silas no enseñaran a la gente sobre Jesús.

La cárcel no era un lugar divertido donde Pablo y Silas pudieran estar. El hombre a cargo de la cárcel se aseguró de que no pudieran salir. Los barrotes en las ventanas y las puertas evitaban que ellos se fueran. Tablas con huecos en ellas, sostenían sus pies y evitaban que se movieran. Ellos sólo podían sentarse en el piso de tierra en el oscuro cuarto de la cárcel.

Ahora, Pablo y Silas tenían que tomar una decisión importante. Ellos podrían estar felices porque Dios estaba con ellos aun en la cárcel. Podrían confiar en Dios para que los cuidara. O podrían estar tristes y ponerse a llorar. Y podrían intentar hallar una manera de salir de allí por su cuenta; pero así ellos podían salir lastimados.

¿Qué hicieron Pablo y Silas? Ellos confiaron en Dios y no se pusieron tristes para nada. En la mitad de la noche ellos hablaron con Dios. ¡Ellos también le cantaban a Dios en la mitad de la noche! Todos en la cárcel los escuchaban. Al escuchar, ellos aprendieron un mucho sobre el amor de Dios.

La tierra empezó a temblar. Tembló tan fuerte que las puertas de la cárcel se abrieron y las cadenas de todos los que estaban en la cárcel, ¡se cayeron! El hombre a cargo de la cárcel tenía miedo. Entonces, Pablo gritó: "¡Está Bien! ¡Todos seguimos aquí!"

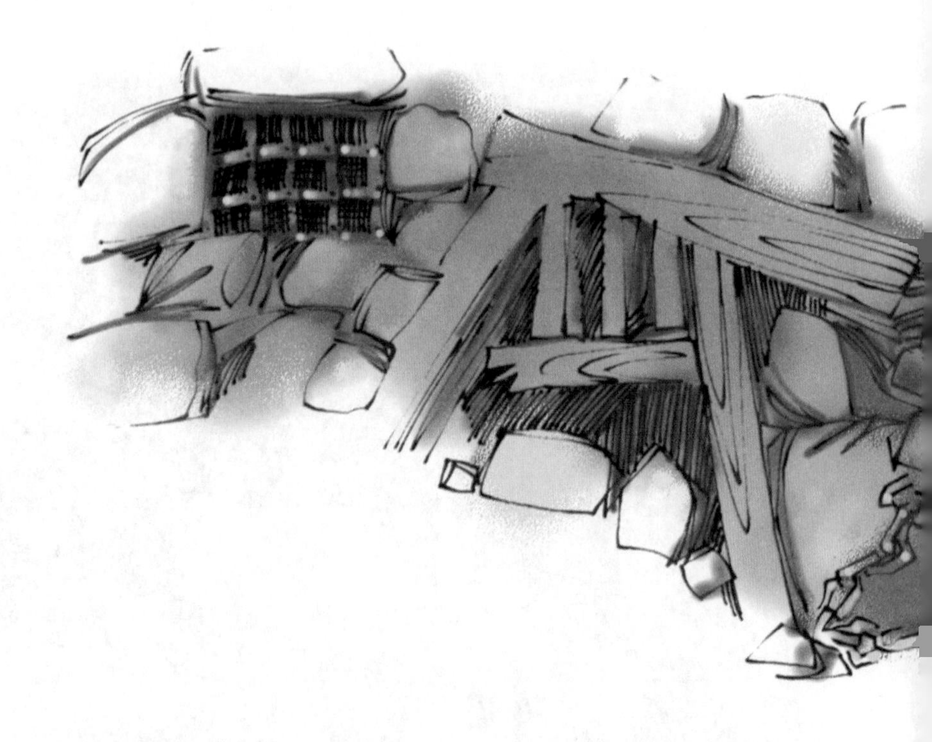

Luego, el carcelero quería saber cómo debía ser salvo de sus pecados. Él sabía que Pablo y Silas habían estado orando y cantándole a Dios. Él sabía que ellos podían enseñarle sobre Dios. Ellos le dijeron: "Cree en Jesús, y serás salvo".

¡El hombre de la cárcel creyó! Luego, él le pidió a Pablo y a Silas que fueran a su casa con él. Ellos le contaron a su familia sobre Jesús y todos creyeron en Él.

El hombre le dio de comer a Pablo y a Silas. A la mañana siguiente él les dijo: "Son libres para irse ahora".

Dios estaba contento de que Pablo y Silas habían confiando en Él. Pablo y Silas estaban contentos de que habían sido fieles a Jesús mientras estuvieron en la cárcel. Ellos habían aprendido que podían sentir gozo, aun durante los tiempos difíciles. ¡Resultó ser una gran noche!

Recordemos juntos

¿Por qué pusieron a Pablo y a Silas en la cárcel?
¿Ellos actuaron con felicidad o tristeza en la cárcel?
¿Pablo y Silas tomaron una buena decisión o una mala decisión?
¿Cómo ayudaron al hombre a cargo de la cárcel?

Piensa en TUS decisiones

¿Hubo un tiempo cuando las cosas no parecían ir bien en tu vida? ¿De qué manera el orar, cantar y confiar en Dios puede hacer que un tiempo difícil parezca más fácil? ¿Qué puedes decidir hacer la próxima vez que estés alterado por algo?

Actividad

Planea lo que puedes hacer la próxima vez que tu familia esté atorada en el tráfico o atrapada en algún lugar durante una tormenta. Puedes memorizar canciones para cantar o versículos Bíblicos para decir.

Debemos decidir confiar en Dios cuando estamos pasando un momento difícil.

Oremos juntos

Querido Dios, gracias por estar con nosotros durante los momentos difíciles. Ayúdanos a confiar siempre en tí. En el nombre de Jesús. Amén.

Aprendiendo todo acerca de Jesús

Hechos ***18***

DECISIÓN: ¿Apolo le presta atención a sus maestros? O ¿Él piensa que no necesita aprender acerca de Jesús?

Después de que Pablo salió de la cárcel, él empezó a viajar nuevamente. Él caminó de pueblo en pueblo, contándole a la gente sobre Jesús.

Un día Pablo llegó a una ciudad donde hizo nuevos amigos. Sus nuevos amigos eran un esposo y esposa llamados Aquila y Priscila. Pablo vivió con ellos y trabajó con ellos. Los tres armaban tiendas de campaña.

Todas las semanas, en el día especial de Dios, Pablo iba a la sinagoga. Ése era el lugar donde la gente iba a adorar a Dios. La gente allí amaba a Dios, pero ellos no conocían sobre su Hijo Jesús.

Algunos no creían lo que Pablo les contaba sobre Jesús, pero otros creían en Jesús y aprendían a amarlo.

Luego, Pablo se mudó a otra casa. Él se quedó allí por más de un año y pasó todo su tiempo enseñándole a la gente sobre Jesús.

Finalmente, era tiempo de que Pablo subiera a su bote. Dios quería que fuera a otro pueblo para enseñarle a más gente sobre Jesús.

Pablo llevó a sus amigos Aquila y Priscila con él. Cuando llegaron a otro pueblo, Pablo se quedó allí por un tiempo. Luego, él viajó a otros pueblos. Esta vez, Aquila y Priscila no fueron con él.

En el día especial de Dios, Aquila y su esposa, Priscila, fueron a una sinagoga. Era en la ciudad donde ellos vivían ahora. En este lugar especial escucharon a un hombre predicando. Su nombre era Apolo y él era un buen maestro. Pero los amigos de Pablo se dieron cuenta de que él no sabía acerca de Jesús.

Cuando Apolo terminó de predicar, Aquila y Priscila le preguntaron si ellos podían hablar con él.

Ellos empezaron a decirle todo lo que ellos habían aprendido con Pablo sobre Jesús.

Ahora, Apolo tenía que tomar una decisión importante. Él podría escuchar a este hombre y esta mujer. Podría dejarlos que les enseñara todo sobre Jesús y podría empezar a enseñar a otra gente sobre Jesús también. O podría decirle a Aquila y Priscila que él no quería escucharlos diciendo que conocía todo lo que necesitaba saber sobre Dios.

¿Qué hizo Apolo? Escuchó todo lo que Aquila y Priscila dijeron. Apolo aprendió todo acerca de Jesús. Luego, viajó a otro pueblo y les habló a la gente de allí sobre Jesús. Ayudó a la gente a comprender quién era Jesús. Él dijo: "Ustedes están esperando que Dios les envíe a alguien. Dios ¡ya envió a Jesús! Él es el Hijo de Dios. Jesús es el que ustedes están buscando". Mucha gente supo de Jesús por causa de Apolo.

Dios estaba contento de que Apolo escuchara a Aquila y a Priscila. Ellos eran buenos maestros, y Apolo era un buen oyente. Él aprendió todo sobre el Hijo de Dios, Jesús. Luego, ¡él se convirtió en maestro también!

Recordemos juntos

¿Qué hicieron Pablo y sus dos nuevos amigos? ¿Quién fue con Pablo cuando navegaron a otro pueblo? ¿Sobre quién querían Aquila y Priscila enseñar a Apolo?

¿Apolo tomó una buena decisión o una mala decisión? Luego, sobre quién enseñó Apolo a otra gente?

Piensa en TUS decisiones

¿Qué es lo que ya has aprendido acerca de Jesús? ¿Deseas seguir aprendiendo más sobre Él? Recuerda que Apolo era adulto, pero ¡él todavía necesitaba aprender sobre Jesús!

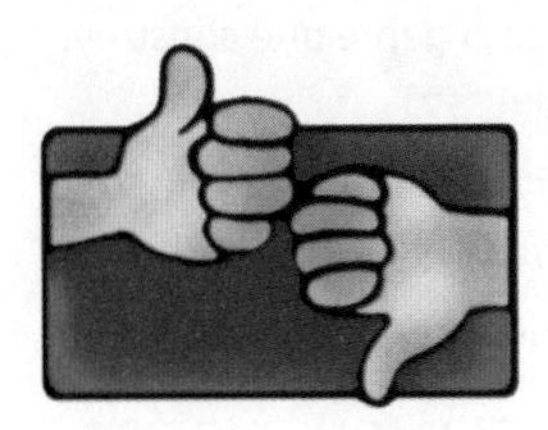

Actividad

Elige tu historia favorita sobre Jesús. Trata de aprender algo nuevo de esa historia.

Luego, practica contándosela a tus muñecas o animales de peluche. Cuando conozcas la historia muy bien, cuéntasela a otra persona.

Querer aprender sobre Jesús ¡es una muy buena decisión!

Oremos juntos

Querido Dios, gracias por las historias Bíblicas que nos enseñan sobre Jesús. Gracias por los maestros que nos ayudan a aprender lo que la Biblia dice. En el nombre de Jesús. Amén.

ÍNDICE DE PERSONAJES BÍBLICOS QUIENES TOMARON DECISIONES

....

ANTIGUO TESTAMENTO

NUEVO TESTAMENTO